A SERIES OF CONVERSATION

汉语口语系列教材：你说 我说 大...

（二编）

旅游口语

郑国雄 陈光磊　主编
郑国雄 祝 蓉　编著
范毓民　翻译
贡树行　审校

**CONVERSATIONAL CHINESE
FOR TRAVELERS**

北京语言大学出版社
BEIJING LANGUAGE AND CULTURE
UNIVERSITY PRESS

图书在版编目（CIP）数据

旅游口语 / 郑国雄，祝蓉编著；范毓民译.
－北京：北京语言大学出版社，2008 重印
（你说·我说·大家说 / 郑国雄，陈光磊主编）
对外汉语教学口语入门教材
ISBN 978－7－5619－1093－1

Ⅰ. 旅…
Ⅱ. ①郑…　②祝…　③范…
Ⅲ. 旅游－汉语－口语－对外汉语教学－教材
Ⅳ. H195.4

中国版本图书馆 CIP 数据核字（2002）第 045492 号

书　　名：	旅游口语	
责任印制：	陈　辉	
出版发行：	北京语言大学出版社	
社　　址：	北京市海淀区学院路 15 号　邮政编码：100083	
网　　址：	www.blcup.com	
电　　话：	发行部　82303648 / 3591 / 3651	
	编辑部　82303647	
	读者服务部　82303653 / 3908	
	网上订购电话　82303668	
	客户服务信箱　service@blcup.net	
印　　刷：	北京中科印刷有限公司	
经　　销：	全国新华书店	
版　　次：	2002 年 7 月第 1 版　2008 年 4 月第 3 次印刷	
开　　本：	787 毫米×1092 毫米　1/16　印张：12	
字　　数：	189 千字　　印数：5001－7000 册	
书　　号：	ISBN 978－7－5619－1093－1 / H·02079	
定　　价：	28.00 元	

凡有印装质量问题，本社负责调换。电话：82303590

前　言

汉语口语系列教材《你说·我说·大家说》是一套从零起点开始，循序渐进而又相当快速地进行汉语口语教学的课本。这套课本以培养学习者的汉语口语交际能力为目标，取材着眼于汉语口头交际中常用的词语和句型（或语型），词汇量及语法点的分布以《汉语水平等级标准和等级大纲（试行）》、《汉语水平考试（HSK）大纲》和《HSK常用词汇一览表》为参照，可用于课堂教学，也可用于自学。

课本以结构、功能、文化三者结合为编写原则。课文注意提供具有国情内容的文化信息，并反映中国社会发展的新情况。结构、功能、文化三者结合的原则是培养学习者具有目的语交际能力的最佳途径，也是提高语言教学水平的基本方法。如何把三者有机地结合起来，在不同的教学阶段又如何对此作不同的具体安排，正是当前对外汉语教学界认真探索的课题。我们在这儿所作的努力，希望能为这种探索作出一点贡献。

课本力求体现第二语言习得规律。第二语言教学的发展，使人们越来越认识到："教"和"学"，学生是主体。"教"应当根据"学"的需要和特点来进行；教学，可以说就是要"教"会学生自己"学"好一种语言。所以，我们注意使学习者能对汉语口语表达方式具有整体感悟，养成表达熟巧程度。这方面的基本措施就是给予大量练习题，为培养说汉语的熟巧程度提供启发和复练的条件。练习量大和练习方式多样是课本的一个特点。

这套课本是系列化的，分为五个级次，每个级次32至40课时，编为五册课本：

第一册《基础口语》（上编）（下编），共32课，上编16课完成基础语音训练，操练简单会话；下编16课巩固基础知识，养成基本口语表达能力。

第二册《日常口语》（上编）（下编），共16课，上编8课以情景为纲，操练日常交际用语；下编8课以话题为纲，养成日常交际能力。

第三册《旅游口语》（上编）（下编），共16课，上编8课以旅游为主题，通过谈论中国名胜古迹及文化景观，作成段表达训练，提高口语表达的连贯程度；下编 8 课也是以旅游为主题，通过谈论中国名胜古迹及文化景观，进一步作成段表达训练，提高口语表达、应对的准确程度。

第四册《话题口语》（上编）（下编），共 16 课，上编 8 课谈论中国社会文化生活中的热点问题，提高口语表达的流畅程度；下编 8 课也是谈论当前中国社会经济发展的热点问题，进一步养成汉语口语表达的熟巧程度。

第五册《议论口语》（上编）（下编），共 18 课，上编 9 课，每课说一个哲理性故事，要求学生复述，培养学生成段、成篇的表达能力，接着针对故事进行议论，在语言的功能表达方面进一步加以提高；下编 9 课，"说"的要求跟上编相同，但在"议"方面则要求运用语言的修辞知识，不但要说得对，而且要说得好。

在教学上既可从初学开始作系统的安排，也可根据学习者的需要和水平选学其中有关级次的课本。这套课本也可以配合其他课型使用。学完这套课本，学习者能具有良好的汉语口语表达的基本技能和交际能力。

这套教材不仅可以作为一般教材进行课堂教学，还可以采用多媒体技术制作光盘，进行人机对话式的自学，使汉语口语教学成为一个立体的（文字、音响、图像）和动态的（具有交互性）过程，增大学习效果。可以说，这套课本为制作多媒体教材提供了一个蓝本。课本作为多媒体教材蓝本的编写工作是由李敦厚、贡树行两位先生动议发起的，树行先生更是在具体策划和课本审校方面做了许多很有成效的工作。于此谨向他们致以谢忱！

这套课本在复旦大学国际文化交流学院试用过多次，这次编写也吸取了诸位任课教师和同学们的意见。对于他们的帮助，于此致谢。编写这样规模的口语教材，对于我们是一次新的探索，不妥之处在所难免，恳望得到对外汉语教学同行的指教。

编　者
于复旦大学国际文化交流学院

上 编 目 录

下 编 目 录

第一课 西 湖

（一）

玛丽：我一到杭州就想起一句话："上有天堂,下有苏杭"。

山本：听说,你去年就想来杭州了,因为忙,没来成,今天总算让你看到西湖了。

玛丽：西湖比我想像的更美,既有山又有水。难怪人人都喜欢她呢。

山本：我最喜欢在湖边散步。

玛丽：那我们就沿着西湖走吧。你看,那儿有一座桥。

山本：那是有名的断桥。一说这座桥,就想起《白蛇传》这个故事来了。

玛丽：我也听说过这个故事。它既让人感动,又让人伤心。

山本：我们不要说让人伤心的故事了,还是走吧。再走过去就是白堤了。

（二）

玛丽：白堤这条路既宽又平,人也不多,是个好地方。

山本：昨天我们去了几个公园,都太热闹,今天总算找到了一个安静的地方。

玛丽：这儿这么好,难怪我的朋友一到白堤,坐下就不想走了。

山本：西湖中还有几个小岛。有一个叫三潭印月的,一到中秋节,大家就喜欢去那儿赏月。

玛丽：听说杭州还有个岳庙，那儿有四个跪着的铁人是坏蛋吧。

山本：对。过一会儿我们去那里，一到岳庙就能看见了。

（三）

玛丽：龙井茶很有名，你买了没有？

山本：我一下火车就买了几盒。你呢？

玛丽：我也想买几盒带回家。杭州的丝绸也很有名。

山本：你买了吗？

玛丽：我买了件衬衫。我个子高，在丝绸店挑来挑去，总算挑到了一件。我还想买条裙子。

山本：杭州既有名胜古迹，又有吃的穿的，难怪大家要叫它"天堂"了。

玛丽：看来杭州给你的印象不错。

山本：当然，这儿是"天堂"，给我的印象是：风景美丽，生活美好。

生　词

1. 没来成	méi lái chéng		be fail to come
2. 总算	zǒngsuàn	（副）	at last; finally
3. 想像	xiǎngxiàng	（动）	imagine; visualize
4. 既…又…	jì…yòu…		both…and; as well as; (used to join two adjectives or descriptive phrases)
5. 难怪	nánguài	（副）	no wonder
6. 湖边	hú biān		lakeside
7. 散步	sàn bù		take a walk; go for a walk
8. 沿	yán	（介）	along (parallel with sth.)
9. 座	zuò	（量）	*a measure word*

10. 桥	qiáo	（名）	bridge
11. 故事	gùshi	（名）	story
12. 感动	gǎndòng	（动）	move
13. 伤心	shāngxīn	（形）	sad; grieved
14. 走过去	zǒu guo qu		go to
15. 平	píng	（形）	flat; level; smooth
16. 安静	ānjìng	（形）	quiet; peaceful
17. 赏月	shǎng yuè		admire the moon
18. 跪	guì	（动）	kneel
19. 铁人	tiěrén	（名）	iron-man statue
20. 坏蛋	huàidàn	（名）	rascal; bad egg; scoundrel
21. 坏	huài	（形）	bad
22. 个子	gèzi	（名）	height; statue; build
23. 条	tiáo	（量）	*a measure word*
24. 印象	yìnxiàng	（名）	impression
25. 美好	měihǎo	（形）	(of abstract things) happy; wonder- ful

补 充 词

1. 哭	kū	（动）	cry; weep
2. 铃	líng	（名）	bell
3. 教	jiāo	（动）	teach
4. 笑话	xiàohua	（名）	joke
5. 结束	jiéshù	（动）	finish

专 名

1. 苏杭	Sū-Háng	the city of Suzhou and Hangzhou
2. 白蛇传	Báishézhuàn	the Folklore of White Snake
3. 白堤	Báidī	the dyke named after Bai Juyi

4. 三潭印月　　Sāntányìnyuè　　Three Pools Mirroring the Moon
5. 岳庙　　　　Yuèmiào　　　　Yue Fei Temple
6. 龙井茶　　　Lóngjǐngchá　　　Longjing Tea

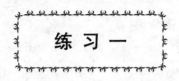

练习一

一、一……就……

甲、复述原句

  1. 我一到杭州就想起一句话："上有天堂,下有苏杭"。

  2. 一说这座桥,就想起《白蛇传》这个故事来了。

  3. 一到白堤,坐下就不想走了。

  4. 一到中秋节,大家就喜欢去那儿赏月。

  5. 一到岳庙就能看见了。

  6. 我一下火车就买了几盒。

乙、替换练习

我一	吃完饭 下班 看到酒 伤心 到节日 紧张	就	看电视 回家 喝 哭 想家 说不出话来	。

丙、熟读例句

  1. 我一喝酒就醉。

  2. 天一冷他就去南方。

  3. 山本一买到飞机票就回国。

  4. 学生一看见老师就说："您好!"

  5. 一到春天花儿就开了。

丁、改换说法

    1. 他吃完饭走了。(吃完饭　走)

    2. 我到上海后很快就给姐姐打电话。(到上海　打电话)

    3. 这支歌好唱,学一下就会了。(学　会)

    4. 这个问题不难,老师说一下我就懂了。(说　懂)

    5. 妹妹工作忙的时候,没有空看电影。(忙　没空看电影)

    6. 爸爸回来了,我给他沏茶。(回来　沏茶)

    7. 老师走进教室时铃就响了。(走进教室　铃就响了)

    8. 音乐响了,他们就跳舞。(响　就跳舞)

    9. 他听说要考试就有点紧张。(考试　就紧张)

    10. 每天六点他起床。(到六点　起床)

二、总算

甲、复述原句

    1. 今天总算让你看到西湖了。

    2. 今天总算找到了一个安静的地方。

    3. 我在丝绸店挑来挑去,总算挑到了一件合适的衬衫。

乙、替换练习

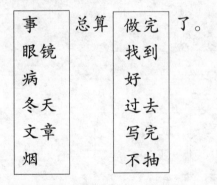

丙、熟读例句

    1. 我坐了三天三夜火车,总算到家了。

    2. 他工作了几年,总算有钱买房子了。

    3. 这个问题我想了又想,总算想出答案来了。

    4. 他去了几家书店,这本词典总算买到了。

5. 病好了,总算可以不吃药了。

丁、完成句子

1. 中国人教我包饺子,学了几次,我_____。
2. 这个问题,老师讲了三遍,学生 _____。
3. 你的家真难找,我问了几个人,_____。
4. 她喜欢女孩子,这次生了个女儿,_____。
5. 这封信,我等了一个多月,_____。
6. 去日本的手续_____。
7. 这本书,他看了十天,_____。
8. 等了半天,出租汽车_____。
9. 雨下了快一个星期了,今天_____。
10. 妹妹哭着要妈妈,妈妈回来了,她_____。

三、既……又……

甲、复述原句

1. 西湖比我想像的更美,既有山又有水。
2. 这个故事既让人感动,又让人伤心。
3. 白堤这条路既宽又平。
4. 杭州既有名胜古迹,又有吃的穿的。

乙、替换练习

他	既	能说	又	能写	。
他长得		高		壮	
门		高		宽	
女儿		聪明		漂亮	
算得		快		对	
飞得		高		远	
这件衬衫		不好看		不便宜	

丙、熟读例句

    1．我们的教室既干净又明亮。

    2．这个地方既安静又美丽。

    3．杂技表演既优美又精彩。

    4．这种苹果既便宜又好吃。

    5．他既不懂汉语，又不懂英语，只会讲日语。

丁、回答问题

    1．A：中国的饺子怎么样？

       B：＿＿＿＿＿＿＿＿＿＿（便宜，好吃）

    2．A：杭州怎么样？

       B：＿＿＿＿＿＿＿＿＿＿（美丽，好玩）

    3．A：你喜欢龙井茶吗？

       B：＿＿＿＿＿＿＿＿＿＿（好沏，好喝）

    4．A：山本的汉语怎么样？

       B：＿＿＿＿＿＿＿＿＿＿（能听，能说）

    5．A：这件大衣怎么样？

       B：＿＿＿＿＿＿＿＿＿＿（不暖和，不好看）

    6．A：这本书怎么样？

       B：＿＿＿＿＿＿＿＿＿＿（好懂，有意思）

    7．A：三潭印月怎么样？

       B：＿＿＿＿＿＿＿＿＿＿（漂亮，能赏月）

    8．A：妹妹学习什么？

       B：＿＿＿＿＿＿＿＿＿＿（英语，音乐）

    9．A：今天的练习怎么样？

       B：＿＿＿＿＿＿＿＿＿＿（太多，太难）

    10．A：家里有了空调好不好？

       B：＿＿＿＿＿＿＿＿＿＿（不冷，不热）

四、难怪

甲、复述原句

    1．难怪人人都喜欢她呢。

2．难怪我的朋友一到白堤，坐下就不想走了。

3．杭州既有名胜古迹，又有吃的穿的，难怪大家要叫它"天堂"了。

乙、替换练习

菜太咸，	难怪	不好吃	。
门坏了，		打不开	
钱丢了，		要伤心	
脚疼，		走不动	
北方冷，		他不想去	
这事		他不知道	

丙、熟读例句

1．孩子考试考得不好，难怪他不高兴。

2．你把"大夫"写成了"太夫"，难怪我看不懂。

3．中国的小笼包子味道好，难怪大家都爱吃。

4．这么冷的天，你穿得这么少，难怪要感冒。

5．你常常不做练习，难怪成绩不好。

丁、改换说法

1．玛丽，我说的是汉语，不是英语，你听不懂。

2．小王对客人说话不客气，服务得也不好，经理不高兴。

3．哥哥每天工作十几个小时，累极了。

4．上海的商业很繁荣，很多人来上海买东西。

5．妈妈病了，找不到好医生，女儿很着急。

6．《白蛇传》的故事很有意思，山本很喜欢听。

7．他胃疼，吃不下饭。

8．八点上课，你七点五十分才起床，肯定要迟到。

9．妹妹又聪明又漂亮，大家都喜欢她。

10．丝绸衣服又轻又薄，人人都爱穿。

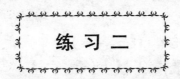

练习二

一、替换练习

1. 因为

忙	,	杭州	没	来	成。
钱不够		词典		买	
没时间		文章		写	
买不到票		京剧		看	

2.

西湖	比我想像的更	美	。
上海		热闹	
汉字		难	
足球赛		精彩	

3.

衬衫	挑	来	挑	去	这件最合适	。
中国菜	吃		吃		烤鸭最好吃	
音乐	听		听		还是民歌好听	
这个问题	想		想		还是不明白	

二、问答

（因为……，……没 v 成）

1. 你想去上海，为什么没去成？（忙）
2. 弟弟想听音乐，为什么没听成？（录音机坏了）

（比我想像的更）

3. 长江长不长？（长）
4. 杭州怎么样？（漂亮）

（v来v去）

5. 什么水果最好吃?(吃,苹果)

6. 电视节目哪个最看得懂?(看,广告)

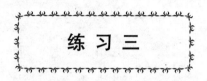

练 习 三

一、读短文

昨天玛丽家里来了很多朋友,他们既唱歌又跳舞,既吃蛋糕又喝饮料。哦,是玛丽过生日,难怪这么热闹。山本有点事,等到八点半,他总算来了。他爱讲笑话,他一来就更热闹了,晚会一直到十二点才结束。

二、回答问题

1. 朋友们去玛丽家里做了什么事?(既……又……)

2. 玛丽家为什么这么热闹?(难怪)

3. 山本什么时候到玛丽家的?(总算)

4. 山本来后怎么样?(一……就……)

5. 晚会几点结束?(一直)

三、复述短文

第二课 黄 山

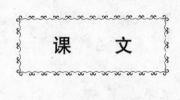

（一）

玛丽：山本，以前我根本不知道黄山。这次来了才感到它美极了。

山本：当然。我想，我们一边看风景，一边拍照，有空还写写日记，你说好不好？

玛丽：对。旅游时不仅要看，还要写。

山本：多写能提高汉语水平。

玛丽：那么，说写就写吧。你等我一下，我拿笔。

山本：现在我们要爬山，晚上再写。

（二）

玛丽：我不懂，黄山根本不是黄颜色的，为什么叫它黄山呢？

山本：传说古代的轩辕黄帝来过这儿，所以叫它黄山。

玛丽：我的朋友说，这儿的松树很有名。

山本：是的。这儿不仅有名松，还有怪石、云海和温泉。

玛丽："迎客松"在哪儿？

山本：在玉屏楼前边。它是黄山十大名松之一。

玛丽：玉屏楼离这儿远吗？

山本：远着呢，你加油爬吧。

玛丽：好。说加油就加油。我跟你比赛，看谁爬得快。

山本：你小心点儿，注意安全，我不跟你比。

玛丽：天都峰是不是这儿最高的山峰？

山本：不，天都峰是黄山三大主峰之一，但不是最高的山峰。

玛丽：看过黄山根本不想看别的山了。

山本：中国的山很多，黄山也是名山之一。

玛丽：这一块"醉石"是什么意思？

山本：诗人李白在这块石头旁喝酒，喝多了，说醉就醉了。李白一醉就把酒洒在石头上，石头也醉了，所以叫"醉石"。连旁边的泉水也有酒香呢。

玛丽：我不相信。这泉水根本不香。

（三）

山本：今晚我们住在玉屏楼。明天一早看日出。

玛丽：黄山的日出一定好看。

山本：当然。黄山的云说变就变，一会儿一个样子。美极了。

玛丽：看完日出去温泉吧。

山本：这儿的温泉不仅可以洗澡，还可以喝。

玛丽：除了松、石、云、泉，黄山还有什么？

山本：还有许多野生的动植物。所以黄山不仅是个风景区，还是个自然保护区呢。

玛丽：我看了这么多，可以写一篇长长的日记了。不仅记下黄山的风景，还要写这儿的故事。

生　词

1. 根本　　　　gēnběn　　　　（副）　　　（often used in the negative） at all; simply

2. 日记　　　　rìjì　　　　　（名）　　　diary

3. …时　　　　…shí　　　　　　　　　　at the time; when

4. 不仅…，还…	bùjǐn…, hái…		not only … but also…
5. 说…就…	shuō…jiù…		as it's been decided … (put into action) right away
6. 爬	pá	(动)	climb
7. 传说	chuánshuō	(动、名)	it is said; legend
8. 古代	gǔdài	(名)	ancient times
9. 松树	sōngshù	(名)	pine tree
10. 怪石	guàishí	(名)	queer stone
11. 云海	yúnhǎi	(名)	a sea of clouds
12. 温泉	wēnquán	(名)	hot spring
13. 迎客松	yíngkèsōng	(名)	name of a pine tree
14. 之一	zhī yī		one of
15. 小心	xiǎoxīn	(形)	careful
16. 注意	zhùyì	(动)	pay attention to; take notice of
17. 安全	ānquán	(形、名)	safe; safety
18. 山峰	shānfēng	(名)	mountain peak
19. 主峰	zhǔfēng	(名)	the highest peak in a mountain range
20. 诗人	shīrén	(名)	poet
21. 洒	sǎ	(动)	spill; spray; sprinkle
22. 相信	xiāngxìn	(动)	believe
23. 一早	yìzǎo	(名)	early in the morning
24. 日出	rìchū	(名)	sunrise
25. 变	biàn	(动)	change; become different
26. 样子	yàngzi	(名)	appearance; manner; likelihood
27. 洗澡	xǐ zǎo		take a bath
28. 野生	yěshēng	(形)	wild
29. 动植物	dòng-zhíwù	(名)	animal and plant
30. 自然	zìrán	(名、形)	nature; natural
31. 保护	bǎohù	(动)	protect; safeguard
32. 篇	piān	(量)	*a measure word*

补 充 词

1. 造　　　zào　　　（动）　　make; build; create
2. 解决　　jiějué　　（动）　　solve; settle
3. 原因　　yuányīn　　（名）　　cause; reason
4. 困难　　kùnnan　　（名、形）　difficulty; difficult
5. 文物　　wénwù　　（名）　　cultural relics
6. 姑娘　　gūniang　　（名）　　girl
7. 笑　　　xiào　　　（动）　　smile; laugh
8. 消息　　xiāoxi　　（名）　　news; information

专　名

1. 轩辕黄帝　　Xuānyuán Huángdì　　a man who is said to be the ancestor of Chinese
2. 玉屏楼　　Yùpíng Lóu　　Yuping House
3. 天都峰　　Tiāndū Fēng　　Tiandu Peak
4. 李白　　Lǐ Bái　　an ancient poet

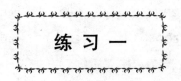

练 习 一

一、根本
甲、复述原句
　　1. 以前我根本不知道黄山。
　　2. 黄山根本不是黄颜色的。
　　3. 看过黄山根本就不想看别的山了。
　　4. 这泉水根本不香。

14

乙、替换练习

我根本 | 猜不着
不了解
不喜欢
没希望 |。

丙、熟读例句

1. 我根本不认识山本。
2. 他根本不了解英国。
3. 我根本不懂日语。
4. 山本根本不会开车。
5. 玛丽根本没来过。

丁、回答问题

1. 您认识他吗？
2. 你的胃不舒服,想吃点什么吗？
3. 山本是中国人吗？
4. 昨天玛丽去公园了吗？
5. 你在家里说汉语吗？
6. 这儿的冬天冷不冷？
7. (3+2)×8 是 36 吗？
8. 他的困难已经解决了吗？
9. 你听过《白蛇传》的故事吗？
10. 你喝过茅台酒吗？

二、不仅……,还……

甲、复述原句

1. 旅游时不仅要看,还要写。
2. 这儿不仅有名松,还有怪石、云海和温泉。
3. 这儿的温泉不仅可以洗澡,还可以喝。
4. 黄山不仅是个风景区,还是个自然保护区。

5. 我不仅记下黄山的风景,还要写这儿的故事。

乙、替换练习

这儿的夏天	不仅	刮风	,还	下雨	。
他		参加比赛		赢了	
你		了解他		相信他	
妹妹		会唱歌		会指挥	
弟弟		爱看球赛		会打球	
丝绸衣服		穿了舒服		挺漂亮	

丙、熟读例句

1. 这位小姐不仅懂英语,还懂日语。
2. 姐姐不仅学习好,还常常帮助别人。
3. 杭州不仅有山有水,还有许多古迹。
4. 这种水果不仅很贵,还不好吃。
5. 学生不仅熟悉王老师,还很尊敬他。

丁、完成句子

1. 哥哥不仅_____,还_____。
   （现代音乐,古典音乐）
2. 小李不仅_____,还_____。 （汉语,日语）
3. 黄山不仅_____,还_____。 （风景,故事）
4. 参观博物馆,不仅_____,还_____。
   （文物,历史）
5. 葡萄酒不仅_____,还_____。
   （颜色漂亮,香）
6. 这支笔不仅_____,还_____。 （便宜,好用）
7. 我回国时,她不仅_____,还_____。
   （送礼物,去机场送行）
8. 山本不仅_____,还_____。 （汉语,书法）
9. 他不仅_____,还_____。 （音乐家,诗人）

16

10.姑娘不仅＿＿＿＿＿＿＿，还＿＿＿＿＿＿＿。　　　（唱歌，跳舞）

三、说……就……

甲、复述原句

1.那么,说写就写吧。

2.好。说加油就加油。我跟你比赛,看谁爬得快。

3.酒喝多了,说醉就醉了。

4.黄山的云说变就变。

乙、替换练习

杭州 故事 东西 汉语 事情	说	去讲 买 学 办	就	去讲 买 学 办	。

丙、熟读例句

1.这儿的天气真冷,河水说结冰就结冰。

2.那儿的春天来得早,说暖和就暖和。

3.他做事是说干就干的。

4.夏天,菜不放在冰箱里,说坏就坏了。

5.老师请我们唱歌,我们说唱就唱吧。

丁、改换说法

1.你要到朋友家,那么快去吧。（去）

2.这里离学校不远,走着走着就到了。（到）

3.你叫他写信,他就写了。（写）

4.南方的天气真会变。（变）

5. 你要我请客,好,我就请客。(请客)

6. 过了六月,这里的天气就热起来了。(热)

7. 这药很有用,我只吃了一次,病就好了。(好)

8. 夫妻要离婚,真的离了。(离)

9. 时间不早了,我们快走吧。(走)

10. 妈妈叫儿子别喝酒了,他真的不喝了。(不喝)

四、…… 是 …… 之一 (…… 之一是……)
甲、复述原句
1. "迎客松"是黄山十大名松之一。
   (黄山十大名松之一是"迎客松"。)
2. 天都峰是黄山三大主峰之一。
   (黄山三大主峰之一是天都峰。)
3. 黄山也是中国的名山之一。
   (中国的名山之一是黄山。)

乙、替换练习

长江 爬山 纸	是	中国的大河 他喜欢的运动 学习文具	之一。

有名的演员 妈妈买的东西 我的爱好	之一是	玛丽 茶叶 集邮	。

18

丙、熟读例句

    1．苹果是我喜欢吃的水果之一。

    2．听不懂汉语是我的困难之一。

    3．《白蛇传》是中国人爱听的故事之一。

    4．中秋节的活动之一是赏月。

    5．哥哥送我的礼物之一是钢笔。

丁、完成句子

    1．老师是＿＿＿＿＿＿＿＿＿＿之一。（尊敬）

    2．茶是＿＿＿＿＿＿＿＿＿＿之一。（饮料）

    3．杭州是＿＿＿＿＿＿＿＿＿＿之一。（有名）

    4．天都峰是＿＿＿＿＿＿＿＿＿＿之一。（主峰）

    5．熊猫是＿＿＿＿＿＿＿＿＿＿之一。（喜欢）

    6．弟弟喜欢的运动之一是＿＿＿＿＿＿＿＿＿＿。

    7．我的好朋友之一是＿＿＿＿＿＿＿＿＿＿。

    8．我国有名的河流之一是＿＿＿＿＿＿＿＿＿＿。

    9．他喜欢参观的地方之一是＿＿＿＿＿＿＿＿＿＿。

    10．中国人的节日之一是＿＿＿＿＿＿＿＿＿＿。

练 习 二

一、替换练习

    1.

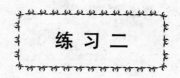

| 我
他
妹妹
哥哥 | 感到 | 黄山美极了。
问题很复杂
钢琴很难学
身体不舒服 |

2. | 过马路 | 要注意 | 安全 |。
出门		天气预报
上课		听
找工作		报纸消息

3. | 这种菜 | 连 | 外国人 | 也 | 喜欢吃 |。
这道理		小孩子		懂
高兴得		老人		唱起歌来
他忙得		星期天		不休息

二、问答

（感到）

1. 你喜欢吃面条吗？
2. 今天的天气怎么样？

（注意）

3. 你工作很忙,要多休息,对吗？
4. 你的胃不好,不能吃冷东西,是不是？

（连……也……）

5. 你会喝酒吗？（会,茅台酒）
6. 他的汉语水平怎么样？（高,中文报纸）

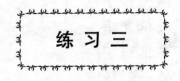

练 习 三

一、读短文

黄山是中国的名山之一,但以前我根本不知道。这次我到黄山玩了几天,山上的松、云、石、泉都很美。特别是黄山的云,说变就变,非常好看。所以,我不仅自己来玩,下次还要带朋友一起来玩。

二、回答问题

1. 黄山是有名的山吗？（之一）
2. 以前你知道黄山吗？（根本）
3. 黄山有哪些美丽的风景？
4. 黄山的云特别好看吗？为什么？（说变就变）
5. 以后你还要到黄山来玩吗？（不仅……，还……）

三、复述短文

第三课　豫　园

（一）

玛丽：这次来上海，我一定要玩个够。

山本：上海好玩的地方不少，现在我们去豫园，到了上海不去那儿，
　　　真是白来了。哦，豫园到了。

玛丽：我以为豫园是个大公园，原来是一座古代园林。

山本：这儿不仅有古建筑，还有商店、饭店什么的。你可以在这儿看
　　　个够、吃个够。

玛丽：我们边走边看吧。

山本：好的。

（二）

玛丽：那边房子里坐了许多人，他们在干什么？

山本：那是个茶馆。许多人喜欢在那里边喝茶边聊天。

玛丽：原来这样。我还以为他们在开会呢。这座桥的样子弯弯曲曲
　　　的，它是——

山本：这叫九曲桥。我的中国朋友说过"九"字的意思，可是我忘了，
　　　他白说了。

玛丽：这座房子叫——

山本：叫三穗堂。房主人希望年年丰收，不让农民白辛苦。

22

玛丽：小刀会起义的指挥部在哪儿？

山本：在里面。我们走吧。

玛丽：那边墙顶上的动物是什么？

山本：是龙。

玛丽：我以为是蛇呢，原来是龙。这条龙真好看。

（三）

山本：玩了半天，我有点饿了。我带了面包，吃点吧。

玛丽：今天我们不吃面包，吃小笼包子。现在马上去饭店，我请客。

山本：那我的面包白带了。

玛丽：留着回家吃吧。

山本：到了饭店，我们边吃包子边谈天。

玛丽：你边说边吃，我边听边记。

山本：你不记也没关系。

玛丽：不，时间长了，我肯定会忘记的，那你就白讲了。

山本：好，就这样吧。

生　词

1. 白	bái	（副）	in vain; for nothing
2. 以为…原来…	yǐwéi… yuánlái…		think ... at first ... but actually...
3. 建筑	jiànzhù	（名）	building
4. 许多	xǔduō	（形）	many; much; a lot of
5. 聊天	liáo tiān		chat
6. 开会	kāi huì		hold or attend a meeting
7. 弯曲	wānqū	（形）	winding; zigzag
8. 房子	fángzi	（名）	house
9. 主人	zhǔrén	（名）	master; owner

10.	丰收	fēngshōu	（名、形）	bumper harvest；plentiful and enormous
11.	辛苦	xīnkǔ	（形）	hard；hardworking
12.	起义	qǐyì	（动、名）	rise up；uprising
13.	墙	qiáng	（名）	wall
14.	顶	dǐng	（名）	roof；top
15.	龙	lóng	（名）	dragon
16.	蛇	shé	（名）	snake
17.	小笼包子	xiǎolóng bāozi		steamed stuffed bun
18.	马上	mǎshàng	（副）	at once
19.	请客	qǐng kè		play the host
20.	肯定	kěndìng	（副）	must；affirmative

补 充 词

1.	晒	shài	（动）	（of the sun）shine upon；dry in the sun
2.	舞会	wǔhuì	（名）	dance；ball
3.	总	zǒng	（副）	always；invariably
4.	汗	hàn	（名）	sweat
5.	活	huó	（动）	live
6.	油	yóu	（形）	oily；glib
7.	猫	māo	（名）	cat
8.	亲	qīn	（形）	related by blood；intimate
9.	诗	shī	（名）	poetry；poem
10.	内容	nèiróng	（名）	content
11.	约	yuē	（动）	make appointment

专 名

1.	九曲桥	Jiǔqū Qiáo	name of a zigzag bridge
2.	三穗堂	Sānsuì Táng	the Pavilion of Three Spikes
3.	小刀会	Xiǎodāohuì	the Small Sword Association

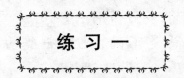

练 习 一

一、v 个够
甲、复述原句

　　1. 这次来上海，我一定要玩个够。

　　2. 你可以在这儿看个够、吃个够。

乙、替换练习

　　1.
鞭炮	放	个够。
商店	逛	
球	打	
话	说	

　　2.
觉	没	睡	够。
照片		拍	
杂技		看	
山		爬	

丙、熟读例句

　　1. 天气很热，你在水里可以游个够。

　　2. 累了几天，今天我要睡个够。

　　3. 今天的太阳真好，我们去外面晒个够。

　　4. 钱没带够，大衣不买了。

　　5. 女儿听了半小时的音乐，还没听够。

丁、完成句子

　　1. 这么多啤酒，＿＿＿＿＿＿＿＿＿＿。　　　　　　（喝）

　　2. 杭州的山美水也美，＿＿＿＿＿＿＿＿＿＿。　　　（玩）

　　3. 饭店里有各种点心，＿＿＿＿＿＿＿＿＿＿。　　　（吃）

　　4. 我去参加玛丽的舞会，＿＿＿＿＿＿＿＿＿＿。　　（跳）

5．今天的电视有很多好节目，我＿＿＿＿＿＿＿＿＿。　　　　（看）
6．在北京时，天总是下雨，我只去了两个地方，还没＿＿＿＿＿＿
＿＿＿＿＿。　　　　（玩）
7．这么多的菜，我才尝了一点儿，还没＿＿＿＿＿＿＿＿＿。
（吃）
8．我打球才打了一会儿，还没＿＿＿＿＿＿＿＿＿。　　　　（打）
9．我和姐姐讲了许多话，但总觉得还没＿＿＿＿＿＿＿＿＿。
（讲）
10．我才唱了一支歌，还没＿＿＿＿＿＿＿＿＿。　　　　（唱）

二、白
甲、复述原句
1．到了上海不去豫园，真是白来了。
2．中国朋友说过"九"字的意思，可是我忘了，他白说了。
3．不让农民白辛苦。
4．我的面包白带了。
5．不，我肯定会忘记的，那你就白讲了。

乙、替换练习

书没买到，你	白	高兴了	。
考得不好，他		努力了	
朋友不来，我		等了	
又写错了，真是		写了	
这件事，你		做了	
他已经走了，你		来了	

丙、熟读例句
1．天气真热，刚洗了澡又是一身汗，白洗了。
2．弟弟弄脏了我的画，我白画了。
3．女儿不喜欢这种颜色的衣服，妈妈白买了。
4．儿子不听妈妈的话，妈妈白讲了。
5．花儿种下去就死了，我白种了。

26

丁、完成句子

　　1. 客人喜欢喝咖啡,你给他沏茶,他不喝,你_____
　　　　_____。　　　　　　　　　　　　　　　　　　　　(沏)

　　2. 我的专业是历史,我的工作跟它没关系,_____。
　　　　　　　　　　　　　　　　　　　　　　　　　　　　　(学)

　　3. 你还在等他? 他早就回家了,你_____。　　(等)

　　4. 我看京剧,但是看不懂,真是_____。　　　(看)

　　5. 这种花我种过两次,都没种活,_____。　　(种)

　　6. 他买来的烤鸭太油,大家都不吃,他_____。
　　　　　　　　　　　　　　　　　　　　　　　　　　　　　(买)

　　7. 妹妹很高兴,以为爸爸给她买来巧克力了。可爸爸忘了,妹
　　　　妹_____。　　　　　　　　　　　　　　(高兴)

　　8. 刚洗干净的衣服被弄脏了,_____。　　　　(洗)

　　9. 我认认真真参加考试,但没考上大学,_____。
　　　　　　　　　　　　　　　　　　　　　　　　　　　　　(考)

　　10. 弟弟不听哥哥的话,_____。　　　　　　　(说)

三、以为……原来(想不到)……（原来……,还以为……）

甲、复述原句

　　1. 我以为豫园是个大公园,原来是一座古代园林。

　　2. 原来这样,我还以为他们在开会呢。

　　3. 我以为是蛇,原来是龙。

乙、替换练习

　　1. 我以为

| 他姓李 |
| 是山本来了 |
| 你爱看杂技 |
| 弟弟走不动 |

,原来

| 他姓王 |
| 是玛丽 |
| 你爱看京剧 |
| 他很能走 |

。

2. 我以为 | 天气很好 | ，想不到 | 要下雨了 | 。
    | 你要输 | | 你赢了 |
    | 他记得住 | | 他忘了 |
    | 她会跳舞 | | 她根本不会 |

3. 原来 | 你住在这儿 | ，我还以为 | 你住得很远 | 呢。
    | 是你在唱歌 | | 是玛丽在唱 |
    | 只要四元 | | 要十元 |
    | 这是茶 | | 是啤酒 |

丙、熟读例句

　　1．我以为你是日本人，原来你是韩国人。
　　　（原来你是韩国人，我还以为你是日本人呢。）
　　2．我以为那位小姐是你的女朋友，原来是你的妹妹。
　　　（原来她是你妹妹，我还以为她是你女朋友呢。）
　　3．山本以为上海的冬天很冷，想不到上海跟东京的气温差不多，
　　　不太冷。
　　4．他以为工作好找，想不到找了一年还没找到。
　　5．山本以为火车站很远，想不到走十分钟就到了。

丁、改换说法

　　1．我想他下星期去北京，可是他已经去了。
　　2．妈妈想这是盐，不，这是糖。
　　3．哥哥想爸爸已经回来了。开门一看，是弟弟。
　　4．玛丽没有去北京，她回国了。
　　5．这件衣服看上去又轻又薄，可穿上后一点也不凉快。
　　6．妹妹说这儿比较安静，但是今天这儿很闹。
　　7．我们想他是山本的哥哥，不对，他是山本的朋友。
　　8．电话里的声音很像是妈妈，不，她是老师。
　　9．妈妈想农村没有电影院，不对，那里早就有了。
　　10．哥哥觉得自己考不上大学，但是他考上了。

四、(一)边……，（一)边 ……

甲、复述原句

1. 我们边走边看吧。
2. 许多人喜欢在那里边喝茶边聊天。
3. 到了饭店,我们边吃包子边谈天。
4. 你边说边吃,我边听边记。

乙、替换练习

我(一)边

| 听 |
| 走 |
| 笑 |
| 问 |
| 吃饭 |
| 学习 |

(一)边

| 记 |
| 想 |
| 说 |
| 找 |
| 看报 |
| 了解 |

。

丙、熟读例句

1. 老师边讲边写,学生边听边想。
2. 演员边唱边跳,观众边看边笑。
3. 哥哥一边学习一边工作。
4. 妈妈一边喝茶一边听音乐。
5. 司机不能边开车边谈话。

丁、改换说法

1. 妹妹洗衣服的时候听音乐。
2. 爸爸想想写写,写写想想,对自己的文章很满意。
3. 哥哥在西湖边散步的时候读李白的诗。
4. 他听电话的时候记下了谈话的内容。
5. 弟弟穿衣服的时候问妈妈:"今天的天气好吗?"
6. 妈妈喝着茶看着报纸。
7. 妹妹点着头说:"我喜欢吃这些菜。"
8. 走路的时候不能看书。

9. 考试的时候不能说话。

10. 开车的时候不能吸烟。

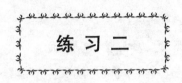

一、替换练习

1.

饿了	,	我们	马上	去饭店	。
开会了		我		来	
这件事		请你		告诉他	
准备好		你		要表演了	
带上伞		天		要下雨了	

2.

我的话	你不	记	也没关系。
这支歌		学	
上海话		懂	
筷子		会用	

3.

今天，弟弟	肯定	不回来	。
上海杂技		好看	
北京队		能赢	
中国地图		买得到	

二、问答

（马上）

1. 火车几点开？

2. 孩子病得厉害，怎么办？

（肯定）

3. 天上有很多云，会不会下雨？

4. 春节你去旅行吗?

（……也没关系）
5. 对不起,我不能陪你去玩了,怎么办?
6. 参加晚会,我不跳舞,这不好吧?

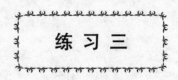

练习三

一、读短文

    星期天我去看玛丽,她不在,去北京了。我以为她要下星期去,没想到她已经走了。我白去了一趟。

    我一边这样想,一边拿出笔和纸给她写几句话:"玛丽,你回来以后请给我打个电话,我们约个时间见面。最好是星期天,我们能边听音乐边谈,还要多谈谈,谈个够,好吗? 再见!"

二、回答问题

1. "我"去看玛丽时,玛丽去哪儿了?（以为……,没想到……。白）
2. "我"没见到玛丽怎么办?（一边……,一边……）
3. 为什么"我"要约玛丽星期天见面?（……个够）

三、复述短文

第四课　中山陵

（一）

玛丽：我老听朋友说，南京是中国六大古都之一。凡是到中国来的
　　　人，都想来这儿玩，是不是？

山本：是的。今天下午我们决定去中山陵。你知道孙中山吗？

玛丽：知道。我喜欢中国历史，尤其是中国近代史。到了中山陵，你
　　　多给我介绍介绍，肯不肯？

山本：当然肯。凡是我知道的都告诉你。

玛丽：太好了。我懂一点历史，加上你的介绍，一定能玩得满意。

山本：瞧你说的。

（二）

（在中山陵）

玛丽：以前我的朋友老讲中山陵怎么高，怎么大，今天亲眼看到了，
　　　真是雄伟极了。

山本：中山陵从下面到上面，一共有三百九十二个台阶，你走得动
　　　吗？

玛丽：没问题。再高我也要走上去。我们走吧。

山本：你看，这是孙中山先生的铜像。凡是了解孙先生革命活动的
　　　人都很敬重他。噢，墓室到了。

玛丽：这边墙上写的是什么？

山本：这是孙先生的《建国大纲》。他认为，凡是对国家有利的事都要一件一件去做。再难也要做。

玛丽：来这儿看看很有意思。尤其是你给我介绍了许多情况，使我更了解中国历史了。谢谢你。

山本：别客气。

（三）

玛丽：看完了中山陵以后我们再去哪儿玩？

山本：好玩的地方多着呢，你想去哪里？

玛丽：我听你的。凡是你想去的地方我都愿去，尤其是一些名胜古迹，很值得看。对了，南京有一种很漂亮的石头叫——，唉，我老忘记它的名字。

山本：叫雨花石，好的雨花石比较贵。

玛丽：没关系，再贵也得买。我很喜欢这种石头，尤其是彩色的更漂亮。

山本：你对南京这么感兴趣，明天我们去玄武湖、燕子矶玩，怎么样？

玛丽：太好了。

生　词

1. 老	lǎo	（副）	often; always
2. 古都	gǔdū	（名）	ancient capital
3. 凡是…都…	fánshì…dōu…		every; any; all
4. 决定	juédìng	（动、名）	decide; decision
5. 尤其	yóuqí	（副）	especially; particularly
6. 近代	jìndài	（名）	modern times
7. 肯	kěn	（动）	agree; consent
8. 加上	jiāshàng	（动）	put in; add

33

9. 亲眼	qīnyǎn	（副）	with one's own eyes
10. 雄伟	xióngwěi	（形）	grand; magnificent
11. 台阶	táijiē	（名）	flight of steps
12. 铜像	tóngxiàng	（名）	bronze statue
13. 革命	gémìng	（名、动）	revolution; revolutionize
14. 活动	huódòng	（名、动）	activity; move about
15. 敬重	jìngzhòng	（动）	deeply respect
16. 墓室	mùshì	（名）	coffin chamber; grave
17. 国家	guójiā	（名）	country; state
18. 有利	yǒulì	（形）	beneficial; favourable
19. 使	shǐ	（动）	make; send; use; enable
20. 愿	yuàn	（动）	be willing; be ready
21. 石头	shítou	（名）	stone
22. 唉	ài	（叹）	*an interjection*
23. 雨花石	yǔhuāshí	（名）	Yuhua stone
24. 彩色	cǎisè	（形）	colour; multicolour

补 充 词

1. 耳(朵)	ěr (duo)	（名）	ear
2. 手	shǒu	（名）	hand
3. 口	kǒu	（名）	mouth
4. 见面	jiàn miàn		meet; see
5. 交	jiāo	（动）	associate with
6. 生气	shēngqì	（动）	get angry
7. 辣	là	（形）	peppery; hot; spicy
8. 苦	kǔ	（形）	bitter
9. 放心	fàng xīn		set one's mind at rest
10. 克服	kèfú	（动）	surmount; overcome
11. 信心	xìnxīn	（名）	confidence; faith
12. 成功	chénggōng	（名）	succeed; success

专　名

1. 中山陵　　　　Zhōngshān Líng　　　the Sun Yat-sen Mausoleum
2. 孙中山　　　　Sūn Zhōngshān　　　Sun Yat-sen
3. 建国大纲　　　Jiànguó Dàgāng　　　the General Outline of the
　　　　　　　　　　　　　　　　　　　State Construction
4. 玄武湖　　　　Xuánwǔ Hú　　　　　Xuanwu Lake
5. 燕子矶　　　　Yànzi Jī　　　　　　Yanzi Rock

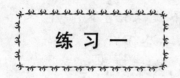

练 习 一

一、老
甲、复述原句

　　1. 我老听朋友说,南京是中国六大古都之一。

　　2. 以前我的朋友老讲中山陵怎么高,怎么大。

　　3. 唉,我老忘记它的名字。

乙、替换练习

1.
汉字	他老	写错	。
生词		记不住	
下课后		抽烟	

2.
奶奶	老	听京剧	。
这儿		这么热闹	
妹妹		不说话	

丙、熟读例句

　　1. 六月的上海老下雨。

　　2. 这几天爸爸心里老不高兴,他老吸烟。

35

3．你老说"见面我的朋友"，错了，应该是"跟我的朋友见面"。

4．山本老不认真做练习。

5．这个学生老答错问题。

丁、改换说法

1．女儿离家后总想着妈妈。

2．玛丽总喜欢下雨天跑步。

3．这个学生上课时常常跟别人说话。

4．你常说"我旅游中国"，不对，应该说"我去中国旅游"。

5．下课后，你总不说汉语，不行。

6．星期天妹妹总去公园玩。

7．我常常麻烦你，真不好意思。

8．四川人总爱吃辣的菜。

9．这个人总喜欢说笑话。

10．你病了三天了，总不吃药，怎么行？

二、凡是……都……

甲、复述原句

1．凡是到中国来的人，都想来这儿玩，是不是？

2．凡是我知道的都告诉你。

3．凡是了解孙先生革命活动的人都很敬重他。

4．凡是对国家有利的事都要一件一件去做。

5．凡是你想去的地方我都愿去。

乙、替换练习

凡是	考试	都	有点难	。
	运动员		要参加比赛	
	看病		得先挂号	
	四川菜		比较辣	
	雨花石		很漂亮	

丙、熟读例句

1．凡是出国都要有护照。

2．凡是酸的菜我都不吃。

3．凡是舞会姐姐都参加。

4．凡是去杭州的人明天早上六点都要起床。

5．凡是京剧表演都很精彩。

丁、完成句子

1．凡是故事，孩子＿＿＿＿＿＿＿＿听。

2．凡是开会＿＿＿＿＿＿＿＿抽烟。（不）

3．凡是丝绸衣服＿＿＿＿＿＿＿＿穿。

4．凡是旅游＿＿＿＿＿＿＿＿参加。

5．凡是中药＿＿＿＿＿＿＿＿苦。

6．＿＿＿＿＿＿＿＿我都看得懂。（英文书）

7．＿＿＿＿＿＿＿＿弟弟都喜欢看。（足球比赛）

8．＿＿＿＿＿＿＿＿都要买汉语词典。（学习中文）

9．＿＿＿＿＿＿＿＿哥哥都不吃。（辣的菜）

10．＿＿＿＿＿＿＿＿都很高。（山）

三、尤其

甲、复述原句

1．我喜欢中国历史，尤其是中国近代史。

2．来这儿看看很有意思。尤其是你给我介绍了许多情况，使我更了解中国历史了。

3．尤其是一些名胜古迹，很值得看。

4．我很喜欢这种石头，尤其是彩色的更漂亮。

乙、替换练习

这儿的风景	尤其	优美	。
那只小鸟		可爱	
妈妈的话		亲切	
这种东西		讨厌	
客人来了,她		忙	
哥哥这样做		不应该	

丙、熟读例句

1. 学说汉语难,学写汉字尤其难。

2. 儿子上大学了。爸爸高兴,妈妈尤其高兴。

3. 山本跟玛丽比,玛丽的汉语进步尤其快。

4. 这个地方常常下雨,尤其是夏天雨水更多。

5. 人人要学习,尤其是青年人更应该努力学习。

丁、完成句子

1. 中国茶很好喝,＿＿＿＿＿＿＿＿＿＿。（龙井茶）

2. 我爱看电影,＿＿＿＿＿＿＿＿＿。（美国电影）

3. 山本喜欢吃中国菜,＿＿＿＿＿＿＿＿＿。（饺子）

4. 比起妹妹来,姐姐＿＿＿＿＿＿＿＿＿。（聪明）

5. 我的牙不好,＿＿＿＿＿＿＿＿＿不能吃。（热的东西）

6. 他懂英语和日语,＿＿＿＿＿＿＿＿好。

7. 哥哥和弟弟的个子都高,＿＿＿＿＿＿＿＿高。

8. 要保护树木,野生动植物＿＿＿＿＿＿＿＿。

9. 我和妹妹出国旅游,爸爸不放心,妈妈＿＿＿＿＿＿＿＿。

10. 我不爱吃甜的东西,＿＿＿＿＿＿＿＿糖。

四、再……也(没有)……

甲、复述原句

1. 中山陵再高我也要走上去。

2. 对国家有利的事再难也要做。

3. 雨花石再贵也得买。

乙、替换练习

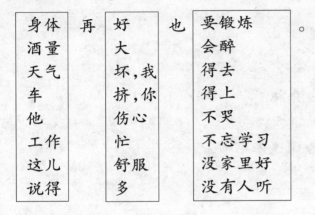

身体	再	好	也	要锻炼	。
酒量		大		会醉	
天气		坏，我		得去	
车		挤，你		得上	
他		伤心		不哭	
工作		忙		不忘学习	
这儿		舒服		没家里好	
说得		多		没有人听	

丙、熟读例句

1. 时间再少我也要给妈妈写信。
2. 奶奶的听力很差，声音再大她也听不见。
3. 香港的冬天再冷也不下雪。
4. 你走得再快也没有坐车快。
5. 苹果再大也比西瓜小。

丁、完成句子

1. 汉语再难＿＿＿＿＿＿＿。（学）
2. 黄山再高＿＿＿＿＿＿＿。（爬）
3. 爸爸想买房子，再贵＿＿＿＿＿＿＿。（买）
4. 路再远＿＿＿＿＿＿＿。（去）
5. 他身体真好，天气再冷＿＿＿＿＿＿＿大衣。（不穿）
6. 今天我胃疼，菜再好＿＿＿＿＿＿＿。（不能吃）
7. 困难再大＿＿＿＿＿＿＿。（克服）
8. 这儿的夏天＿＿＿＿＿＿＿也没有上海的热。
9. 这条河长一千公里，那条河长一千二百公里，这条河再长＿＿＿＿＿＿＿长。
10. 火车＿＿＿＿＿＿＿也比飞机慢。

一、替换练习

1.

他 妹妹 弟弟 姐姐	肯	给我介绍 帮助别人 借给你这本书 陪你去	。

2.

我懂一点历史 苹果很甜 你有信心 武打电影	,加上	你的介绍 很新鲜 肯努力 音乐	,	玩得一定满意 肯定好吃 一定会成功 会更好看	。

3.

你的介绍 多运动 老师的帮助 爸爸的话	使	我更了解中国历史了 你更健康 学生进步了 女儿很感动	。

二、问答

（肯）

1. 这种药比较苦,你吃不吃?
2. 奶奶肯不肯去医院看病?

（加上）

3. 杭州有意思吗?(风景,古迹)
4. 你吃饱了吗?(酒,菜)

（使）

5．你们在一起生活了两年，你了解他吗？（生活的时间长）

6．我穿这件大衣好不好？（更漂亮）

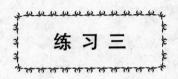

练 习 三

一、读短文

玛丽学习非常努力，凡是书上的练习她都要做一遍，再难的问题她也能回答，老师很满意。

玛丽尤其喜欢在旅游中学习汉语，她老是一边看一边写，每天晚上都写日记。既能旅游，又能提高汉语，玛丽很高兴。

二、回答问题

1．玛丽学习怎么样？她做练习吗？

（凡是……都……，再……也……）

2．玛丽喜欢写文章吗？她怎么写？

（尤其；一边……一边）

三、复述短文

第五课 长 城

（一）

山本：北京有个世界奇迹，你知道吗？

玛丽：想不起来了。你说吧。

山本：长——城。

玛丽：对，是长城。小时候听我妈说："不能亲自去看长城，哪怕看看它的照片也是好的。"我连做梦都想看长城呢。

山本：你这么喜欢它，明天一早我们就去那儿玩吧。不过，天气可能不好。

玛丽：没关系。哪怕下雨我也要去。

山本：好，一言为定。

（二）

（在长城）

玛丽：长城真长，它像一条龙，了不起！中国人真了不起！

山本：你今天可不是做梦，是亲眼见到了长城，够高兴的吧？

玛丽：当然。

山本：我们往上走，你走得动吗？

玛丽：没问题，长城哪怕高上了天，我也要爬到它顶上。这儿的路很平很宽，走起来挺舒服的。

山本：古代中国人没有机器，只靠一双手就造了这么伟大的建筑，太了不起了！

（三）

玛丽：造长城一定有许多故事吧。

山本：这些故事说起来都很惨。有个《孟姜女哭长城》的故事，你听说过吗？

玛丽：我不知道，你说给我听听。

山本：秦始皇抓人造长城，孟姜女的丈夫想躲起来，可是来不及了，还是被抓走了。

玛丽：后来呢？

山本：孟姜女想办法要去找丈夫，她亲手做了棉衣和面饼，要亲自给丈夫送去。有人劝她，长城太远，别去了。

玛丽：她怎么说？

山本：她说："我不怕远，为了找到他，哪怕走断腿，我也要去。我要亲眼看看丈夫，亲耳听他说话。"

玛丽：真是个了不起的女子。

山本：可是，孟姜女到长城后，知道丈夫已经累死了。她就大哭起来，长城被哭倒了一大片，她终于见到了丈夫的尸体，她伤心极了，就跳海了。

玛丽：这故事听起来真惨。哦，这是什么建筑？

山本：这是烽火台。人们白天看到烟升起来，或者晚上看到火烧起来，就知道敌人来了。

玛丽：原来是这样。我们快加油爬，马上可以到长城顶上了。

山本：好，"不到长城非好汉"。我们加油！

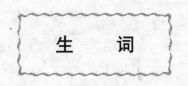

生　　词

1. 世界　　　　shìjiè　　　（名）　　　　world

2. 奇迹	qíjì	（名）	miracle; wonder
3. 哪怕…也…	nǎpà…yě…		even if; even though
4. 梦	mèng	（名）	dream
5. 可能	kěnéng	（形、副）	possible; probable
6. 可	kě	（副）	(used for emphasis)
7. 机器	jīqì	（名）	machine
8. 伟大	wěidà	（形）	great
9. 惨	cǎn	（形）	miserable; tragic
10. 抓	zhuā	（动）	seize; catch; grab
11. 躲	duǒ	（动）	avoid; hide
12. 来不及	lái bu jí		there is no enough time (to do sth.)
13. 后来	hòulái	（名）	afterwards; later
14. 办法	bànfǎ	（名）	way; means
15. 棉衣	miányī	（名）	cotton-padded clothes
16. 面饼	miànbǐng	（名）	pancake made of wheat flour
17. 劝	quàn	（动）	advise; urge
18. 为了	wèile	（介）	for; to
19. 断	duàn	（动）	break; snap; cut
20. 腿	tuǐ	（名）	leg
21. 倒（下）	dǎo(xià)	（动）	fall down
22. 片	piàn	（量）	*a measure word*
23. 终于	zhōngyú	（副）	at last; finally; in the end
24. 尸体	shītǐ	（名）	corpse; dead body
25. 海	hǎi	（名）	sea
26. 烽火台	fēnghuǒtái	（名）	beacon tower
27. 白天	báitiān	（名）	daytime; day
28. 烟	yān	（名）	smoke; mist
29. 升	shēng	（动）	move upward
30. 火	huǒ	（名）	fire
31. 烧	shāo	（动）	burn
32. 敌人	dírén	（名）	enemy; foe
33. 非	fēi	（动）	be not

44

34.	好汉	hǎohàn	（名）	brave man
	不到长城非好汉			if you fail to reach the Great Wall
	bú dào Chángchéng fēi hǎohàn			you are not a man

补 充 词

1.	温暖	wēnnuǎn	（形）	warm
2.	答应	dāying	（动）	answer; reply; agree
3.	近	jìn	（形）	near; close
4.	清楚	qīngchu	（形）	clear; distinct
5.	发明	fāmíng	（动）	invent
6.	月亮	yuèliang	（名）	moon
7.	平凡	píngfán	（形）	ordinary
8.	救	jiù	（动）	rescue; save
9.	树	shù	（名）	tree
10.	碰	pèng	（动）	touch; run into
11.	晕	yūn	（动、形）	faint; dizzy

专 名

| 1. | 孟姜女 | Mèngjiāngnǚ | name of a person |
| 2. | 秦始皇 | Qín Shǐhuáng | the First Emperor of Qin Dynasty |

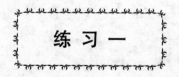

练 习 一

一、……(不)起来

甲、复述原句

1. 想不起来了。你说吧。

2. 这儿的路很平很宽,走起来挺舒服的。

3. 这些故事说起来都很惨。

4. 孟姜女的丈夫想躲起来,可是来不及了。

5. 她就大哭起来,长城被哭倒了一大片。

6. 这故事听起来真惨。

7. 人们白天看到烟升起来,或者晚上看到火烧起来,就知道敌人来了。

乙、替换练习

铃声	响	起来。
生活	好	
天气	热	
两人	打	
她	站不	
哥哥	高兴不	

丙、熟读例句

1. 孩子们唱起来了。

2. 他的病好起来了。

3. 你把桌上的书收起来吧。

4. 这篇文章写起来有点难。

5. 这只小鸟怎么飞不起来了?

丁、改换说法

1. 造桥这件事,说说容易,做很难。(说,做)

2. 我们的生活一年比一年好。(好)

3. 音乐一响,我们就跳舞。(跳)

4. 外面下雨了!(下)

5. 妈妈听了爸爸说的故事笑了。(笑)

6. 他饿极了,看到牛奶就喝。(喝)

7. 这种机器使用不方便。(用)

8. 早上,太阳出来了。(升)

9. 这箱子我提了半天提不动。(提)

10. 你叫什么名字？对不起，我忘了。（想）

二、亲
甲、复述原句
1. 不能亲自去看长城，哪怕看看它的照片也是好的。
2. 你今天可不是做梦，是亲眼见到了长城，够高兴的吧？
3. 孟姜女想办法要去找丈夫，她亲手做了棉衣和面饼，要亲自给丈夫送去。
4. 我要亲眼看看丈夫，亲耳听他说话。

乙、替换练习

| 亲 | 手
眼
口
耳
身
自 | 写
看
尝
听
感
来 | 文章
信
味道
音乐
温暖
我家 | 。 |

丙、熟读例句
1. 今天老师亲自到我家看我。
2. 这些饺子是姐姐亲手包的。
3. 我亲耳听到山本说过这句话。
4. 爸爸亲口答应我去旅行。
5. 我没有亲眼看到这件事，是听说的。

丁、完成句子
1. 这封信是_____。（亲手）
2. 在图书馆我_____。（亲眼）
3. 这么好听的音乐今天我总算_____。（亲耳）
4. 离家久了我才_____妈妈对我的爱。（亲身）
5. 到了上海我要_____小笼包子的味道。（亲口）

6．这件事是妈妈＿＿＿＿＿＿＿＿＿＿对我说的。

7．妈妈教我做菜，我一定要＿＿＿＿＿＿＿＿＿，才能学会。

8．妹妹＿＿＿＿＿＿＿＿把礼物送给哥哥。

9．明天我去日本，姐姐太忙，不能＿＿＿＿＿＿＿＿来送我。

10．他的手有病，这几个字不是他＿＿＿＿＿＿＿＿＿。

三、哪怕……也……

甲、复述原句

1．不能亲自去看长城，哪怕看看它的照片也是好的。

2．长城哪怕高上了天，我也要爬到它顶上。

3．我不怕远，为了找到他，哪怕走断腿，我也要去。

乙、替换练习

哪怕

| 车再挤 |
| 酒量好 |
| 希望不大 |
| 比赛很精彩 |
| 身体好 |
| 狂风暴雨 |

也

| 得上去 |
| 会喝醉 |
| 要努力一下 |
| 没时间看 |
| 要多锻炼 |
| 不怕 |

。

丙、熟读例句

1．哪怕你用车来接我，我也不去。

2．哪怕家里生活再苦，我也不想离开它。

3．哪怕汉语再难，我也要学好它。

4．妈妈为孩子做事，哪怕再累，她也是高兴的。

5．我们约好下午见面，哪怕下雨我也要去。

丁、改换说法

1．弟弟对熊猫感兴趣，虽然动物园远，但是他要去。

2．虽然我学习很忙，但是我每个月还是给爸爸写信。

3．弟弟爱游泳，冬天也游。

4. 这么漂亮的毛衣,虽然贵一点儿,但是我要买。

5. 明天回国,今晚不睡觉也要把行李收拾好。

6. 钱都用完了,连一元钱也拿不出了。

7. 他不努力,很简单的问题都回答错了。

8. 姐姐的眼睛有病,很大的字也看不清楚。

9. 虽然天都峰很高,但是我要爬上去。

10. 你不答应,但我们还是坚持这样做了。

四、了不起
甲、复述原句

1. 长城真长,它像一条龙,了不起! 中国人真了不起!

2. 古代中国人没有机器,只靠一双手就造了这么伟大的建筑,太了不起了!

3. 孟姜女真是个了不起的女子。

乙、替换练习

你能跑五千米,
玛丽能看中文报纸了,
弟弟懂德语、日语和英语, 了不起。
运动员得了好几块金牌,
他不告诉我,我也知道,没什么
大学生懂外语,这没什么

丙、熟读例句

1. 这个中国小孩英语说得这么好,真了不起。

2. 他每年参加比赛,每次都得第一,真了不起。

3. 他努力工作,发明了一种新机器,是个了不起的人。

4. 你把美国的果树种到中国,已经种活了,是件了不起的事。

5. 他答对了这么简单的问题,没什么了不起。

丁、完成句子

　　1. 山本不仅自学了汉语,还学会了做中国菜,这＿＿＿＿＿＿＿。

　　2. 他病得很厉害,医生救了他,医生＿＿＿＿＿＿＿。

　　3. 几千人的考试,他得了第一,＿＿＿＿＿＿＿。

　　4. 他是一位世界有名的＿＿＿＿＿＿＿足球运动员。

　　5. 三年的事两年就做完了,＿＿＿＿＿＿＿。

　　6. 第一个到月亮上去的人＿＿＿＿＿＿＿。

　　7. 护士的工作很平凡,但也＿＿＿＿＿＿＿。

　　8. 杂技表演真精彩,演员们＿＿＿＿＿＿＿。

　　9. 孙中山先生在中国近代史上是位＿＿＿＿＿＿＿。

　　10. 运动员爬上了八千多米高的山峰,真＿＿＿＿＿＿＿。

练 习 二

一、替换练习

1.

她		没有	红毛衣	,只有	黑毛衣	。
我			录音机		照相机	
桌子上			苹果		橘子	
书店里			中日词典		英汉词典	

2.

长城被她哭	倒了。
小树被风刮	
花瓶被我碰	
姐姐累得病	

3.

他想躲起来,可是	来不及了。
现在种棉花,已经	
火车站太远,走着去	
已经上课了,你	

50

二、问答

（没有，只有）

1. 请问，有没有酸辣汤？（罗宋汤）

2. 这儿有没有动物园？（植物园）

（V 倒）

3. 哥哥怎么了？（晕）

4. 树怎么倒下了？（风，刮）

（来不及）

5. 明天考试，今天才复习，来得及吗？

6. 这本书一天看得完吗？

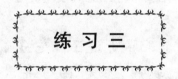

练 习 三

一、读短文

上星期我去北京，亲眼看到了长城。我一见到它就高兴得叫起来："长城，你好！"

长城很长很长，古代中国人没有机器，只靠一双手就把它造好了。真了不起！我喜欢这座伟大的古建筑，它给我的印象很深，哪怕十年、二十年，我也不会忘记它。

二、回答问题

1. "我"去北京后亲眼见到长城了吗？（亲眼，叫起来）

2. 长城怎么样？（了不起）

3. "我"喜欢长城吗？会忘记它吗？（哪怕……也……）

三、复述短文

第六课　兵马俑博物馆

（一）

玛丽：我们什么时候参观秦始皇陵的兵马俑？

山本：不是明天就是后天。

玛丽：我早就想看看这个世界奇迹了。它是最近才发现的吗？

山本：不，早就发现了。我想，不是1973年就是1974年。当地农民在挖井的时候发现的。

玛丽：挖井怎么会发现这个古迹呢？

山本：他们挖着挖着，挖出的一些东西引起了他们的注意，这样就停下来不挖了。

玛丽：挖出的是些什么东西呢？

山本：有些是俑。不过，这些俑不是少了头就是缺了腿。后来，经过专家们研究，发现这些是秦俑，就继续挖，终于把秦俑坑挖出来了。

玛丽：原来是这样。还在原地造了一个兵马俑博物馆，是吗？

山本：是的。要是农民不挖井，就发现不了秦俑坑了。

玛丽：现在一共挖出了多少个俑呢？

山本：开始时只挖出几个，后来越挖越多，一共挖了五百多个。没挖出来的还有几千个呢。

玛丽：这么多啊。这些俑是什么样子的？

山本：你去看了就知道了。

（二）

（在秦俑坑）

玛丽：这些俑的衣服和姿势都不一样，我越看越喜欢。你看那几个，
　　　不是站着就是跪着，都很神气。我想拍一张照可以吗？

山本：不行，这儿不能拍照。

玛丽：不能拍照？真是的！

山本：你可以买兵马俑明信片。

玛丽：这我早有了。如果不拍照，我们就去那边看铜车马吧。

山本：哎呀，外面下雨了，还下得越来越大了。这天气，真是的！

玛丽：没关系，我带了伞，我们一块儿过去吧。

（三）

（参观完铜车马）

玛丽：真没想到，早在两千多年前，中国就有这么漂亮的车马了！时
　　　间还早，我们去秦始皇陵吧。外面还在下雨吗？

山本：早不下了。这儿的雨下不长的。现在我们可以在外面拍照
　　　了。

玛丽：好。哎呀，我忘了带胶卷了。

山本：你这个人，真是的！

玛丽：那我去那儿买，你等着。

生　词

1. 不是…就是… búshì…jiùshì… 　　　　either ... or ...
2. 早(就)　　　zǎo(jiù)　　（副）　long ago
3. 最近　　　　zuìjìn　　　（名、形）of late；recent

4.	发现	fāxiàn	（动）	discover
5.	当地	dāngdì	（名）	in the locality; local
6.	挖	wā	（动）	dig
7.	井	jǐng	（名）	well
8.	引起	yǐnqǐ	（动）	cause
9.	缺	quē	（动）	lack
10.	经过	jīngguò	（动、名）	pass; process
11.	专家	zhuānjiā	（名）	expert
12.	研究	yánjiū	（动）	research
13.	秦俑	qínyǒng	（名）	the terra-cotta of the Qin Dynasty
14.	继续	jìxù	（动）	continue
15.	坑	kēng	（名）	puddle
16.	原地	yuándì	（名）	former place
17.	越…越…	yuè…yuè…		more ... more ...
18.	姿势	zīshì	（名）	posture
19.	神气	shénqì	（形）	vigorous; spirited
20.	真是的	zhēn shì de		（used to express the speaker's dissatisfaction）
21.	明信片	míngxìnpiàn	（名）	postcard
22.	铜车马	tóngchēmǎ	（名）	bronze cart and horses
23.	越来越	yuè lái yuè		more and more
24.	胶卷	jiāojuǎn	（名）	film

补 充 词

1.	干	gān	（形）	dry
2.	丰富	fēngfù	（形）	rich
3.	搬	bān	（动）	move; take away
4.	突然	tūrán	（副）	suddenly
5.	盐	yán	（名）	salt
6.	流利	liúlì	（形）	frequent

54

7. 秘密	mìmì	（名、形）	mystery
8. 声	shēng	（名）	sound
9. 议论	yìlùn	（动）	comment; talk

专　名

| 1. 兵马俑博物馆 | Bīngmǎyǒng Bówùguǎn | the Museum of the Terra-cotta Warriors |
| 2. 秦始皇陵 | Qín Shǐhuáng Líng | the Tomb of the First Emperor of the Qin Dynasty |

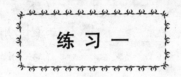

练 习 一

一、不是……就是……

甲、复述原句

1. 参观兵马俑的时间，不是明天就是后天。

2. 发现兵马俑，不是 1973 年就是 1974 年。

3. 挖到几个，但是不是少了头就是缺了腿。

4. 你看那几个，不是站着就是跪着，都很神气。

乙、替换练习

这只表 她姐姐 电视机 我 这些人 汤	不是	哥哥的 医生 黑白的 吃米饭 站着 太咸	就是	姐姐的 教师 彩色的 吃面条 坐着 太淡	。

丙、熟读例句

1. 小王不是在教室就是在图书馆。

2．我不是去旅行就是去朋友家。

3．这位先生不是记者就是教授。

4．他不是坐公共汽车去就是坐出租车去。

5．这些衣服不是颜色不好就是太长太大,我穿都不合适。

丁、完成句子

    1．这房子_____。(电影院,博物馆)

    2．我们下课后_____。(谈话,休息)

    3．中午她_____。(牛奶,面包)

    4．山本晚上_____。(看书,写字)

    5．冬天这儿_____。(下雪,刮风)

    6．节日里,他_____。(杭州,北京)

    7．毕业后他_____。(老师,翻译)

    8．这次去四川我_____。(飞机,火车)

    9．这些衣服_____,我都不能穿。(太大,太小)

  10．菜_____,我不想吃。(太油,太咸)

二、早(就)

甲、复述原句

1．不,早就发现了。

2．兵马俑明信片,我早有了。

3．早在两千多年前,中国就有这么漂亮的车马了!

4．外面的雨早不下了。

乙、替换练习

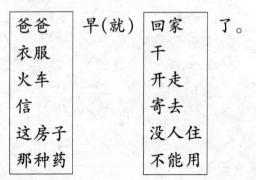

爸爸	早(就)	回家	了。
衣服		干	
火车		开走	
信		寄去	
这房子		没人住	
那种药		不能用	

56

丙、熟读例句

1. 我早就知道她回国了。
2. 这本书老师早就介绍过了。
3. 他们俩早已认识了。
4. 他早已不吸烟了。
5. 爸爸早就不当经理了。

丁、完成对话

1. A:我们一起去吃饭吧。
   B:谢谢,我_____,不吃了,你自己去吧。
2. A:你们学校刚放假吗?
   B:_____。
3. A:给妈妈的电话你打了没有?
   B:_____。
4. A:外面还在下雪吗?
   B:_____。
5. A:爸爸回来了吗?
   B:_____。
6. A:你看过这本书吗?
   B:_____。
7. A:你买了兵马俑明信片吗?
   B:_____。
8. A:山本有这本词典吗?
   B:_____。
9. A:明天是山本生日,你知道吗?
   B:_____。
10. A:你才来这儿吧。
    B:不,_____。

三、越 …… 越 ……
甲、复述原句

1. 开始时只挖出几个,后来越挖越多,一共挖了五百多个。

2．这些俑的衣服和姿势都不一样,我越看越喜欢。

乙、替换练习

丙、熟读例句

1．云越来越黑,风越刮越大,要下雨了。

2．这儿越到晚上温度越低。

3．女儿越长越漂亮,儿子越大越懂事,妈妈真高兴。

4．爸爸画了一幅风景画,他越看越满意。

5．我越不懂,老师越要问我,我越来越紧张。

丁、完成句子

1．他的家越搬＿＿＿＿＿＿＿＿。(远)

2．菜包子我越吃＿＿＿＿＿＿＿。(爱吃)

3．玛丽的汉语越说＿＿＿＿＿＿＿。(流利)

4．离家的时间越长,我＿＿＿＿＿＿＿。(想家)

5．马儿越跑＿＿＿＿＿＿＿。(快)

6．雨花石越漂亮,价钱＿＿＿＿＿＿＿。(贵)

7．爬山我＿＿＿＿＿＿越累。(爬)

8．橘子＿＿＿＿＿＿越酸。(小)

9．兵马俑我＿＿＿＿＿＿越要看。(看)

10．这个问题真难,我＿＿＿＿＿＿越不明白。(想)

四、真是的！

甲、复述原句

1. 这儿不能拍照,真是的!
2. 哎呀,外面下雨了。这天气,真是的!
3. 你这个人,真是的!

乙、替换练习

小张又病了	,真是的!
我的钱包丢了	
车坏了	
我又咳嗽了	
票没买到	
字写得又小又乱	

丙、熟读例句

1. 早上天气好好的,突然下起了大雨,真是的!
2. 车太慢,我又迟到了,真是的!
3. 我找不到回家的路了,真是的!
4. 这本书生词太多,真是的,我不看了。
5. 真是的,这只表越走越慢了。

丁、完成句子

1. 旅行时我没带_____,真是的。
2. 做菜忘了放_____,真是的。
3. 信的地址_____,真是的。
4. 他上课走错了_____,真是的。
5. 比赛又_____,真是的。
6. 我要付钱,_____,真是的。
7. 弟弟学习_____,真是的。
8. 我去他家时,_____,真是的。
9. 考试时他_____,真是的。

练 习 二

一、替换练习

1.

农民挖井时	发现	了兵马俑	。
回家后才		钱包丢了	
弟弟		了一个秘密	
姐姐		桌上多了一瓶花	

2.

挖出的一些东西	引起了	大家的注意	。
哭声		我的注意	
小熊猫		大家的兴趣	
这件事		议论	

3.

秦俑被挖	出来了。
这个问题他想	
秘密被孩子说	
演员们走	

4.

农民	继续	挖	。
老师		讲	
女儿		唱	
工作		做	

二、问答

（发现）

1. 他有女朋友吗？

2. 兵马俑是什么时候发现的？

60

（引起）

3. 马路上为什么要有红绿灯？

4. 啤酒、巧克力和咖啡，哪一样会引起你的兴趣？

（出来）

5. 这个问题你能回答吗？

6. 你的书拿出来了吗？

（继续）

7. 明年你还在这儿学习吗？

8. 这些练习今天来不及做，怎么办？

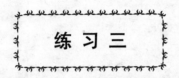

练 习 三

一、读短文

　　兵马俑早在去年我就看过了，这些俑不是兵就是马，怪不得叫它兵马俑。俑的衣服和姿势每个都不一样，我越看越喜欢。我很想在兵马俑博物馆里照相，但是不可以照，真是的！

二、回答问题

1. "我"刚去看兵马俑吗？（早就）

2. 为什么叫兵马俑？（不是……就是……）

3. 俑的样子怎么样？"我"喜欢看吗？（越……越……）

4. 兵马俑博物馆里可以照相吗？（真是的）

三、复述短文

第七课　乐山大佛

课　文

（一）

玛丽：山本，我们等了你半天了，你怎么才来？

山本：急什么，时间还早呢。

玛丽：怎么还早，车都快开了。

山本：啊，对不起，我的表停了。

玛丽：你手里是什么书？

山本：介绍乐山大佛的书。我去了三家书店，好不容易才买到的。

玛丽：你是书迷，别说去三家书店，就是去十家书店你也愿意。你对
　　　佛教是很有研究的。

山本：怎么能说有研究，我只是懂一点儿。

（二）

（在乐山大佛处）

玛丽：这样大的佛我是第一次看到。也不知造了多少年才造好？

山本：造了九十年。真是好不容易才造好啊。

玛丽：大佛高极了。

山本：它有七十一米高。你抬头看，戴的帽子都要掉下来了。

玛丽：你说话真有趣。大佛的头也大极了。

山本：别说它的头大，就是它的鼻子也有五六米长呢。其余的部分，
　　　像耳朵、眼睛也大得很。

玛丽：我看大佛的脚背上可以站十个人。

山本：别说站十个人，就是站一百个人也不挤。

玛丽：这座大佛真是个伟大的建筑。唐朝为什么要造这么大的佛呢？

山本：那时候，这儿的河水流得很急。

玛丽：这么急的河水可以游泳吗？

山本：别说游泳，就是船到了这儿也要翻。船也翻过，人也死过，一位和尚才建议造一尊佛来镇住波浪。

玛丽：原来是这样。

（三）

山本：玛丽，你爬到大佛的脚背上去，我给你照相。要小心一点。

玛丽：怕什么。别说爬这么一点儿高，就是再高我也敢爬。我好不容易来这儿一次，你得给我拍得好一点。

山本：你不相信我的拍照水平吗？

玛丽：怎么不相信。不过，我想拍得漂亮一点儿。

山本：没问题。准备好，一——二——三——，啊呀，你的手动了一下。

玛丽：那么重新拍一张吧。

山本：下星期我们还要去看大足石刻，有你拍的。

玛丽：怎么不去九寨沟呢？

山本：那儿肯定也要去的。

生　词

1．怎么（不）　　　zěnme(bù)　　　（代）　　why（not）
2．好不容易　　　hǎo bu róngyì　　　　　　　it is not easy
3．别说…，就是…　biéshuō…,　　　　　　　even if … at alone …
　　　　　　　　　jiùshì…

4.	愿意	yuànyì	(动)	be willing
5.	佛教	Fójiào	(名)	Buddhism
6.	佛	fó	(名)	Buddha
7.	抬(头)	tái(tóu)	(动)	raise (one's head)
8.	帽子	màozi	(名)	cap; hat
9.	掉	diào	(动)	fall; drop
10.	有趣	yǒuqù	(形)	interesting
11.	鼻子	bízi	(名)	nose
12.	其余	qíyú	(代)	others
13.	部分	bùfen	(名)	part
14.	脚背	jiǎobèi	(名)	instep
15.	船	chuán	(名)	boat
16.	翻	fān	(动)	turn over; upside down
17.	死	sǐ	(动)	die
18.	和尚	héshang	(名)	Buddhist monk
19.	建议	jiànyì	(动)	suggest
20.	尊	zūn	(量)	*a measure word*
21.	镇(住)	zhèn(zhù)	(动)	force down; stablize
22.	波浪	bōlàng	(名)	wave
23.	怕	pà	(动)	fear
24.	敢	gǎn	(动)	dare
25.	重新	chóngxīn	(副)	again

补 充 词

1.	蚊子	wénzi	(名)	mosquito
2.	句	jù	(量)	*a measure word*
3.	修	xiū	(动)	repair
4.	骑	qí	(动)	ride
5.	飞碟	fēidié	(名)	UFO
6.	科学家	kēxuéjiā	(名)	scientist
7.	危险	wēixiǎn	(形、名)	dangerous; danger

| 8. 却 | què | （副） | but; yet |
| 9. 普通话 | pǔtōnghuà | （名） | common speech of the Chinese language; standard Chinese pronunciation |

专　名

1. 乐山大佛	Lè Shān Dàfó	Leshan Great Statue of Buddha
2. 唐朝	Tángcháo	the Tang Dynasty
3. 大足石刻	Dàzú Shíkè	Dazu Carved Stone
4. 九寨沟	Jiǔzhài Gōu	name of a place in Sichuan Province

练习一

一、才

甲、复述原句

　　1. 你怎么才来?

　　2. 我去了三家书店,好不容易才买到的。

　　3. 也不知造了多少年才造好?

　　4. 真是好不容易才造好啊。

乙、替换练习

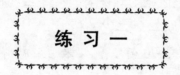

表演	才	开始	。
他		起床	
女孩		八岁	
他想了半天		明白	
我坐了一天车		到家	
衣服洗了几次		洗干净	

丙、熟读例句

1. 车开得真慢，八点半我才到办公室。
2. 现在才六点，你再睡一会儿吧。
3. 这篇文章我看了三遍才看懂。
4. 坚持锻炼，身体才会越来越好。
5. 天天读，生词才不会忘记。

丁、改换说法

1. 这个班有十二个学生，现在只来了七个。
2. 这次考试玛丽只考了六十二分。
3. 坐船的话，明天中午他能到。
4. 我工作后有了钱就能买汽车了。
5. 我们星期六去北京，今天刚星期二，还早呢。
6. 我二十一岁，他二十二岁，他比我大一岁。
7. 这封信我只写了几句，客人来了，就不写了。
8. 你来的时候他刚走。
9. 这双皮鞋五十元，不贵。
10. "大"字很容易，我刚写一次就记住了。

二、怎么(不)……

甲、复述原句

1. 怎么还早，车都快开了。
2. 怎么能说有研究，我只是懂一点儿。
3. 怎么不相信。不过，我想拍得漂亮一点儿。

乙、替换练习

问题太难,孩子	怎么	会懂	。
路不远,		会累	
京剧很精彩		不看	
2℃		不冷	
朋友见面		不高兴	

丙、熟读例句

　　1. 这么重的机器,两个人怎么抬得动?

　　2. 儿子只想玩,不认真学习,成绩怎么会好?

　　3. 这么简单的问题,我怎么不能回答。

　　4. 美国学生写汉字,怎么会容易。

　　5. 电影八点开始,现在才六点半,怎么会来不及。

丁、完成对话

　　1. A:比赛紧张吗?

　　　 B:＿＿＿＿＿＿＿＿＿＿＿。

　　2. A:晚上你一个人走路,怕吗?

　　　 B:＿＿＿＿＿＿＿＿＿＿＿。

　　3. A:他把 shi 说成 si,你听得懂吗?

　　　 B:＿＿＿＿＿＿＿＿＿＿＿。

　　4. A:考试难不难?

　　　 B:＿＿＿＿＿＿＿＿＿＿＿。

　　5. A:蚊子讨厌不讨厌?

　　　 B:＿＿＿＿＿＿＿＿＿＿＿。

　　6. A:弟弟是足球迷吗?

　　　 B:＿＿＿＿＿＿＿＿＿＿＿。

　　7. A:丈夫只关心自己,妻子生气吗?

　　　 B:＿＿＿＿＿＿＿＿＿＿＿。

　　8. A:一个包子你吃得下吗?

　　　 B:＿＿＿＿＿＿＿＿＿＿＿。

　　9. A:这么多生词,你记得住吗?

　　　 B:＿＿＿＿＿＿＿＿＿＿＿。

　　10. A:奶奶今年七十岁,你看得出来吗?

　　　 B:＿＿＿＿＿＿＿＿＿＿＿。

三、好不容易(才)

甲、复述原句

　　1. 我去了三家书店,好不容易才买到的。

　　2. 造了九十年。真是好不容易才造好啊。

67

3. 我好不容易来这儿一次,你得给我拍得好一点。

乙、替换练习

我好不容易(才)

| 学会 |
| 听懂 |
| 爬上去 |
| 游过去 |
| 成功 |
| 赢 |

。

丙、熟读例句

1. 这么复杂的句子,我好不容易才把它翻译好。
2. 生词太多了,女儿好不容易才记住。
3. 大河又宽又深,好不容易才在上面造了一座桥。
4. 李白的诗真难懂,我好不容易才看明白。
5. 中药太苦,我好不容易才喝下去。

丁、完成句子

1. 一百层的高楼_____。(造)
2. 他的腿有病,_____这段路。(走完)
3. 兵马俑是_____的。(挖出来)
4. 黄山很难爬,山本_____。(爬上去)
5. 今天的练习特别多,我_____。(才做完)
6. "zh、ch、sh"的音真难,妹妹_____。(才学会)
7. 这儿很少有雨花石,我_____。(才买到)
8. 外面太闹,晚上我_____。(才睡着)
9. 他病得很厉害,_____。(才治好)
10. 弟弟躲起来了,爸爸_____。(才找到他)

四、别说 ……,就是 …… 也 ……

甲、复述原句

1. 你是书迷,别说去三家书店,就是去十家书店你也愿意。

2．别说它的头大，就是它的鼻子也有五六米长呢。

3．别说站十个人，就是站一百个人也不挤。

4．别说游泳，就是船到了这儿也要翻。

5．别说爬这么一点儿高，就是再高我也敢爬。

乙、替换练习

| 别说 | 走十里
毛衣
平时忙
一杯
平信
三天 | ，就是 | 走二十里
大衣
星期天
一瓶
航空信
一星期 | 也 | 不累
该穿了
不休息
喝得下
太慢
做不完 | 。 |

丙、熟读例句

1．我来上海三年了，别说普通话，就是上海话也能听得懂。

2．弟弟喜欢跑步，别说一百米，就是一千米也跑得动。

3．上海的人太多，别说白天，就是晚上公共汽车也很挤。

4．我不会喝酒，别说茅台酒，就是啤酒也不喝。

5．还有三分钟就上课了，别说走过去，就是骑车过去也要迟到了。

丁、完成句子

1．这么简单的道理，＿＿＿＿＿＿＿＿＿＿。（大人，小孩，明白）

2．飞碟是怎么一回事？＿＿＿＿＿＿＿＿＿＿。（科学家，一般的人，感兴趣）

3．玛丽病了，＿＿＿＿＿＿＿＿＿＿。（跑步，走路，累）

4．长城真伟大，＿＿＿＿＿＿＿＿＿＿。（外国人，中国人，感动）

5．这场足球比赛真精彩，＿＿＿＿＿＿＿＿＿＿。（年轻人，老人，喜欢看）

6．这么多菜，＿＿＿＿＿＿＿＿＿＿。（三个人，五个人，吃不了）

7．北京的名胜古迹多，＿＿＿＿＿＿＿＿＿＿。（三天，五天，看不完）

8．这是我的秘密，＿＿＿＿＿＿＿＿＿＿。（你，我妻子，不知道）

9. 这位运动员水平很高，＿＿＿＿＿＿。（国内比赛,世界比赛,参加过）

10. 钱太少，＿＿＿＿＿＿。（买大衣,买衬衫,不够）

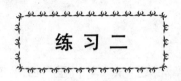

练 习 二

一、替换练习

1.

车	都	快开	了，	你怎么才来	。
饭		快冷		爸爸还不吃	
考试		开始		小王才到	
儿子		十八岁		应该自己洗衣服	

2.

船	也	翻	过，	人	也	死	过，	情况很危险	。
杂技		看		烤鸭		吃		他很高兴	
田		种		工		做		我什么都会	
药		吃		针		打		病还不好	

3.

照片	重新	拍一张	。
字		写一次	
衣服		买一件	
课文		读一遍	

二、问答

（都）

1. 现在几点了,爸爸和妈妈回来了吗？（晚上十二点,没回来）

2. 妹妹今年多大了？（二十四岁）

70

（……也……过，……也……过）

3. 你在中国看过哪些节目？（京剧，杂技，很高兴）

4. 你吃过哪些中国菜？（烤鸭，糖醋鱼，味道好）

（重新）

5. 我看，弟弟的衣服洗得不干净，你说呢？

6. 这个字你写得不好，怎么办？

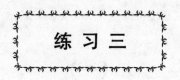

练 习 三

一、读短文

这儿的天气一直下雨，好不容易等来了一个晴天，我们可以去看乐山大佛了，心里怎么不高兴呢。

可是山本来得很晚，快开车时他才到。玛丽说了他几句，他却说"急什么，车还没开呢。"这个人，真是的！别说玛丽不高兴，就是我们也对他不满意。

二、回答问题

1. 这儿的天气怎么样？"我们"什么时候去看乐山大佛？高兴不高兴？（一直，好不容易，怎么）

2. 山本什么时候到的？（才）

3. 玛丽说了山本几句，山本怎么回答？（……什么）

4. "我们"对山本满意吗？（别说……就是……也）

三、复述短文

第八课 漓 江

（一）

玛丽："桂林山水甲天下"，这桂林到底有多美，这次我无论如何要去
　　　看看。

山本：上次你来中国怎么没去那儿呢？

玛丽：我病了。所以去也没去，休息了一星期就回国了。

山本：那这次补一下吧。

玛丽：不过，我在这儿的时间不多。

山本：干脆我们坐飞机去，可以快一点。

（二）

（在漓江）

山本：漓江真美，江宽水清，怪不得这儿游客不断。你看，那边有一
　　　只竹筏，竹筏上还有人在唱歌呢。

玛丽：我们也上那儿去，凑个热闹，怎么样？

山本：好，等一等，我要拍一张照。

玛丽：你一停也不停地拍照，成了照相迷了。

山本：瞧你说的，我是太喜欢这儿的风景了。

（三）

（在竹筏上）

玛丽：你看，那边远远的有只大象，站在江边动也不动。

山本：你看错了，那是一座山。

玛丽：这山太像大象了，干脆叫它大象山吧。

山本：又错了，它叫象鼻山。

玛丽：我是近视眼，离得近了才看清楚。"象鼻"和"象身"中间还有一个大洞，我们干脆从这个洞中划过去。

山本：这个洞太小了，我们的竹筏比较大，我想，无论如何过不去的。

玛丽：这竹筏大什么，可以过得去的。

（四）

玛丽：象鼻山看过了，漓江也游过了，还有哪儿好玩，你介绍介绍吧。

山本：好玩的地方多着呢。芦笛岩和七星岩就很有名。

玛丽：两个岩洞都好玩，那我们到底先去哪个岩洞呢？

山本：两个地方都去，还要去阳朔呢。

玛丽：阳朔是无论如何要去的。如果时间不够，那两个岩洞就别去了。

山本：也好。你的假期到什么时候？

玛丽：我有要紧的事，星期天无论如何要到家的。我担心买不到回家的车票。

山本：那下午我们干脆先去买票，然后再玩。

玛丽：我们到底买飞机票还是买火车票？

山本：要省时间，就干脆买飞机票。

玛丽：只要票买得到，就能放心玩了。

山本：说得不错，就这么办吧。

生 词

1. 到底	dàodǐ	（副）	after all
2. 无论如何	wúlùn rúhé		however
3. V 也没/不 V	V + yěméi/bù + V		never
4. 补	bǔ	（动）	make up for; complement
5. 干脆	gāncuì	（副、形）	simply; straight forward
6. 清	qīng	（形）	clear
7. 不断	búduàn	（形）	continuous
8. 竹筏	zhúfá	（名）	bamboo raft
9. 大象	dàxiàng	（名）	elephant
10. 近视眼	jìnshìyǎn	（名）	nearsightedness
11. 洞	dòng	（名）	hole
12. 划	huá	（动）	paddle
13. 岩洞	yándòng	（名）	grotto
14. 假期	jiàqī	（名）	vacation
15. 要紧	yàojǐn	（形）	important; matter
16. 担心	dānxīn	（动）	worry about
17. 先…, 然后…	xiān…, ránhòu…		first…, then…
18. 省	shěng	（动）	save
19. 只要	zhǐyào	（连）	so long as; provided

补 充 词

1. 眨	zhǎ	（动）	blink (one's eyes)
2. 管	guǎn	（动）	manage; subject sb. to discipline
3. 痛	tòng	（形）	hurt
4. 打瞌睡	dǎ kēshuì		doze off
5. 稳	wěn	（形）	stable
6. 摇	yáo	（动）	shake; wave; rock

74

7. 告诉　　　　　　gàosu　　　　（动）　　　　tell

专　　名

1. 漓江　　　　Lí Jiāng　　　　　　name of a river
2. 象鼻山　　　Xiàngbí Shān　　　　name of a mountain
3. 芦笛岩　　　Lúdí Yán　　　　　　name of a grotto
4. 七星岩　　　Qīxīng Yán　　　　　name of a grotto
5. 阳朔　　　　Yángshuò　　　　　　name of a county in Guangxi
　　　　　　　　　　　　　　　　　Province

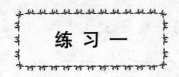

练 习 一

一、到底

甲、复述原句

1. 这桂林到底有多美,这次我无论如何要去看看。
2. 两个岩洞都好玩,那我们到底先去哪个岩洞呢?
3. 我们到底买飞机票还是买火车票?

乙、替换练习

天气 学生 问题 词典 客人 这书	到底	怎么样 多不多 懂不懂 买没买 来不来 好不好	?

丙、熟读例句

1. 这个学生到底是不是上海人?

2．山本到底会不会唱中国歌？

3．那位站着的先生到底是谁？

4．你们班到底有多少学生？

5．女儿到底学会拉小提琴了没有？

丁、完成对话

1．A：＿＿＿＿＿＿＿＿＿＿＿＿？

B：我星期三去日本。

2．A：＿＿＿＿＿＿＿＿＿＿＿＿？

B：这家电影院能坐七百个人。

3．A：＿＿＿＿＿＿＿＿＿＿＿＿？

B：今天的最高温度是 35℃。

4．A：＿＿＿＿＿＿＿＿＿＿＿＿？

B：写汉字很难，发音不太难。

5．A：＿＿＿＿＿＿＿＿＿＿＿＿？

B：桂林离上海很远，坐火车要二十多个小时。

6．A：＿＿＿＿＿＿＿＿＿＿＿＿？

B：丝绸衣服又轻又薄，穿了很舒服。

7．A：＿＿＿＿＿＿＿＿＿＿＿＿？

B：我喜欢的那本书买到了。

8．A：＿＿＿＿＿＿＿＿＿＿＿＿？

B：我要买那条白裙子。

9．A：＿＿＿＿＿＿＿＿＿＿＿＿？

B：芦笛岩和七星岩都很好玩。

10．A：＿＿＿＿＿＿＿＿＿＿＿＿？

B：我说的那个人就是山本。

二、无论如何

甲、复述原句

1．这次我无论如何要去看看。

2．我们的竹筏比较大，我想，无论如何过不去的。

3．阳朔是无论如何要去的。

4. 星期天我无论如何要到家的。

乙、替换练习

| 蔬菜 文章 近视眼 房间 约会 时间 | 无论如何 | 要多吃 要写好 要戴眼镜 要整理干净 别迟到 来不及 | 。 |

丙、熟读例句

1. 今天是爸爸生日,我无论如何要去看他。
2. 上次是你请客,这次无论如何该我请客。
3. 今天的温度比昨天高了3℃,无论如何要开空调了。
4. 女儿无论如何都不愿离开妈妈。
5. 奶奶年纪大了,无论如何不能走那么多路。

丁、回答问题

1. A:中学毕业后你想考大学吗?
   B:＿＿＿＿＿＿＿＿＿＿＿＿＿。
2. A:这些练习今天做得完吗?
   B:＿＿＿＿＿＿＿＿＿＿＿＿＿。
3. A:下雨了,你还去山本那儿吗?
   B:＿＿＿＿＿＿＿＿＿＿＿＿＿。
4. A:你星期六回家吗?
   B:＿＿＿＿＿＿＿＿＿＿＿＿＿。
5. A:奶奶去你家,走着去还是坐车去?
   B:＿＿＿＿＿＿＿＿＿＿＿＿＿。
6. A:我胃疼,能喝酒吗?
   B:＿＿＿＿＿＿＿＿＿＿＿＿＿。
7. A:飞机票买没买到,下午你能告诉我吗?

　　　　B：_____。

　8．A：出租车能坐七个人吗？
　　　　B：_____。

　9．A：是妈妈要儿子学拉小提琴吗？
　　　　B：对，_____。

　10．A：孟姜女的丈夫愿意去造长城吗？
　　　　B：_____。

三、V 也没(不)V

甲、复述原句

　1．我病了。所以去也没去，休息了一星期就回国了。

　2．你一停也不停地拍照，成了照相迷了。

　3．那边远远的有只大象，站在江边动也不动。

乙、替换练习

| 话书事酒字 | 说看做喝写 | 也不(没) | 说看做喝写 | 。 |

丙、熟读例句

　1．这家商店的东西不好，我看也不看。

　2．弟弟认真地看小猫吃鱼，眼睛眨也不眨。

　3．爸爸对家里的事管也不管。

　4．妈妈对哥哥的学习问也不问。

　5．姐姐生气了，笑也不笑。

丁、改换说法

　1．老师讲的内容我根本不懂。

　2．他喝很多酒，脸都不红。

78

3. 今天姐姐脚疼,不能跳舞。

4. 小鸟停在树上不动。

5. 这杯茶客人没喝。

6. 今天他很累,没读书。

7. 昨天我很忙,没做练习。

8. 玛丽来我这儿没坐就走了。

9. 比赛拿金牌,这我没想过。

10. 小妹妹去医院打针,没哭。

四、干脆

甲、复述原句

1. 干脆叫它大象山吧。

2. "象鼻"和"象身"中间还有一个大洞,我们干脆从这个洞中划过去。

3. 下午我们干脆先去买票,然后再玩。

4. 要省时间,就干脆买飞机票。

乙、替换练习

这件事	干脆	算了吧	。
鞋旧了		买双新的	
不舒服		去医院吧	
累了		休息吧	
没有车		走吧	
买不到		不买	

丙、熟读例句

1. 公共汽车不来,我们干脆坐出租车吧。

2. 只有两个橘子了,你干脆都吃了吧。

3. 雨越下越大,我干脆不去了。

4. 京剧真难懂,我干脆不看了。

5. 你一边看电影,一边打瞌睡,干脆去睡吧。

丁、完成对话

1. A：我们等了他半天，他还不来。

   B：_____。（不等了）

2. A：我想买书，钱带得太少。

   B：_____。（下次再买）

3. A：我有一个女儿，一个儿子，你看，买几件毛衣？

   B：_____。（买两件）

4. A：弟弟要去杭州，妹妹要去苏州，我们到底去哪儿？

   B：_____。（去别的地方）

5. A：这只表修了好几次，又坏了。

   B：_____。（买一只新的）

6. A：我们坐火车去的话，太慢了。

   B：_____。（坐飞机）

7. A：妈妈去商店，女儿一定要跟着去。

   B：_____。（一起去）

8. A：玛丽病了几天了，还没好。

   B：_____。（去医院）

9. A：这家饭店的菜不是太咸就是太油。

   B：_____。（别的饭店）

10. A：我陪你去玩的话，回家晚了妈妈不高兴。

    B：_____。（别陪）

一、替换练习

1.

我们也上那个竹筏吧,	凑个热闹。
球我打得不好,今天也来打,
杭州我去过了,再陪你去,是
我不喜欢喝白酒,今天喝一点,

2.

好玩的地方	多	着呢。
时间	早	
路	远	
你等他吗? 他	慢	

3.

我们	先	去买票	,然后	再玩	。
他		吃饭		听新闻	
孩子		学说话		学写字	
爸爸		看电视		看报纸	

4.

只要	买到票	,	我	就	可以放心玩了。
	努力学习		你		会有进步
	有钱		他		能买汽车
	有书看		妹妹		高兴

二、问答

(凑个热闹)

1. 请你和我一起跳舞,好不好? (我不会,不过……)

2. 今天我生日,请你唱支歌,好吗? (我不会,不过……)

（……着呢）

3．瓶里的酒还有多少？（多）

4．什么时候考试？（早）

（先……，然后……）

5．你去哪儿旅行？（苏州，杭州）

6．回家后你做些什么事？（看书，做练习）

（只要……就）

7．汉字我写得不好，怎么办？（多写，写得好）

8．这件大衣不错，你买不买？（好，买）

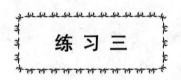

练 习 三

一、读短文

桂林山水甲天下，那儿有漓江、象鼻山、七星岩什么的。到底有多少美丽的景色，我也记不清了。到了桂林无论如何要去阳朔，要不，你就白来了。如果时间紧张的话，你干脆坐飞机。上次我坐的飞机很稳，起飞以后一摇也不摇，感觉挺舒服。桂林人欢迎大家去那儿玩。

二、回答问题

1．桂林有哪些好玩的地方？（到底，记不清）

2．到了桂林后还要去哪儿？（无论如何，白）

3．如果时间紧张，怎么办？（干脆）

4．"我"坐飞机的感觉怎样？（稳，一摇也不摇）

三、复述短文

上 编 词 汇 表

A

唉	ài	（叹）	*an interjection*	4
安静	ānjìng	（形）	quiet; peaceful	1
安全	ānquán	（形、名）	safe; safety	2

B

白	bái	（副）	in vain; for nothing	3
白天	báitiān	（名）	daytime; day	5
搬	bān	（动）	move; take away	6
办法	bànfǎ	（名）	way; means	5
保护	bǎohù	（动）	protect; safeguard	2
鼻子	bízi	（名）	nose	7
变	biàn	（动）	change; become different	2
别说…，就是…	biéshuō…, jiùshì…		even if …, at alone …	7
波浪	bōlàng	（名）	wave	7
不断	búduàn	（形）	continuous	8
不是…就是…	búshì…jiùshì…		either … or …	6
补	bǔ	（动）	make up for; complement	8
部分	bùfen	（名）	part	7
不仅…，还…	bùjǐn…, hái…		not only … but also…	2

C

彩色	cǎisè	（形）	colour; multicolour	4
惨	cǎn	（形）	miserable; tragic	5
成功	chénggōng	（名）	succeed; success	4

83

重新	chóngxīn	（副）	again	7
船	chuán	（名）	boat	7
传说	chuánshuō	（动、名）	it is said; legend	2

D

答应	dāying	（动）	answer; reply; agree	5
打瞌睡	dǎ kēshuì		doze off	8
大象	dàxiàng	（名）	elephant	8
担心	dānxīn	（动）	worry about	8
当地	dāngdì	（名）	in the locality; local	6
倒（下）	dǎo(xià)	（动）	fall down	5
到底	dàodǐ	（副）	after all	8
敌人	dírén	（名）	enemy; foe	5
掉	diào	（动）	fall; drop	7
顶	dǐng	（名）	roof; top	3
洞	dòng	（名）	hole	8
动植物	dòng-zhíwù	（名）	animal and plant	2
断	duàn	（动）	break; snap; cut	5
躲	duǒ	（动）	avoid; hide	5

E

耳（朵）	ěr(duo)	（名）	ear	4

F

发明	fāmíng	（动）	invent	5
发现	fāxiàn	（动）	discover	6
翻	fān	（动）	turn over; upside down	7
凡是…都…	fánshì…dōu…		every; any; all	4
房子	fángzi	（名）	house	3
放心	fàng xīn		set one's mind at rest	4
非	fēi	（动）	be not	5
飞碟	fēidié	（名）	UFO	7
丰富	fēngfù	（形）	rich	6
烽火台	fēnghuǒtái	（名）	beacon tower	5
丰收	fēngshōu	（名、形）	bumper harvest; plentiful and enormous	3

84

| 佛 | fó | （名） | Buddha | 7 |
| 佛教 | Fójiào | （名） | Buddhism | 7 |

G

干	gān	（形）	dry	6
干脆	gāncuì	（副、形）	simply; straight forward	8
敢	gǎn	（动）	dare	7
感动	gǎndòng	（动）	move	1
告诉	gàosu	（动）	tell	8
革命	gémìng	（名、动）	revolution; revolutionize	4
个子	gèzi	（名）	height; statue; build	1
根本	gēnběn	（副）	（often used in the negative）at all; simply	2
姑娘	gūniang	（名）	girl	2
古代	gǔdài	（名）	ancient times	2
古都	gǔdū	（名）	ancient capital	4
故事	gùshi	（名）	story	1
怪石	guàishí	（名）	queer stone	2
管	guǎn	（动）	manage; subject sb. to discipline	8
跪	guì	（动）	kneel	1
国家	guójiā	（名）	country; state	4

H

海	hǎi	（名）	sea	5
汗	hàn	（名）	sweat	3
好不容易	hǎo bu róngyì		it is not easy	7
好汉	hǎohàn	（名）	brave man	5
和尚	héshang	（名）	Buddhist monk	7
后来	hòulái	（名）	afterwards; later	5
湖边	hú biān		lakeside	1
划	huá	（动）	paddle	8
坏	huài	（形）	bad	1
坏蛋	huàidàn	（名）	rascal; bad egg; scoundrel	1
活	huó	（动）	live	3
活动	huódòng	（名、动）	activity; move about	4

| 火 | huǒ | （名） | fire | 5 |

J

机器	jīqì	（名）	machine	5
继续	jìxù	（动）	continue	6
既…又…	jì…yòu…		both... and; as well as (used to join two adjectives or descriptive phrases)	1
加上	jiāshàng	（动）	put in; add	4
假期	jiàqī	（名）	vacation	8
见面	jiàn miàn		meet; see	4
建议	jiànyì	（动）	suggest	7
建筑	jiànzhù	（名）	building	3
教	jiāo	（动）	teach	1
交	jiāo	（动）	associate with	4
胶卷	jiāojuǎn	（名）	film	6
脚背	jiǎobèi	（名）	instep	7
结束	jiéshù	（动）	finish	1
解决	jiějué	（动）	solve; settle	2
近	jìn	（形）	near; close	5
近代	jìndài	（名）	modern times	4
近视眼	jìnshìyǎn	（名）	nearsightedness	8
经过	jīngguò	（动、名）	pass; process	6
井	jǐng	（名）	well	6
敬重	jìngzhòng	（动）	deeply respect	4
救	jiù	（动）	rescue; save	5
句	jù	（量）	a measure word	7
决定	juédìng	（动、名）	decide; decision	4

K

开会	kāi huì		hold or attend a meeting	3
科学家	kēxuéjiā	（名）	scientist	7
可	kě	（副）	(used for emphasis)	5
可能	kěnéng	（形、副）	possible; probable	5
克服	kè fú	（动）	surmount; overcome	4
肯	kěn	（动）	agree; consent	4

肯定	kěndìng	（副）	must; affirmative	3
坑	kēng	（名）	puddle	6
口	kǒu	（名）	mouth	4
哭	kū	（动）	cry; weep	1
苦	kǔ	（形）	bitter	4
困难	kùnnan	（名、形）	difficulty; difficult	2

L

辣	là	（形）	peppery; hot; spicy	4
来不及	lái bu jí		there is no enough time（to do sth.）	5
老	lǎo	（副）	often; always	4
聊天	liáo tiān		chat	3
铃	líng	（名）	bell	1
流利	liúlì	（形）	frequent	6
龙	lóng	（名）	dragon	3

M

马上	mǎshàng	（副）	at once	3
猫	māo	（名）	cat	3
帽子	màozi	（名）	cap; hat	7
美好	měihǎo	（形）	（of abstract things）happy; wonderful	1
没来成	méi lái chéng		fail to come	1
梦	mèng	（名）	dream	5
秘密	mìmì	（名、形）	mystery	6
棉衣	miányī	（名）	cotton-padded clothes	5
面饼	miànbǐng	（名）	pancake made of wheat flour	5
明信片	míngxìnpiàn	（名）	postcard	6
墓室	mùshì	（名）	coffin chamber; grave	4

N

哪怕…也…	nǎpà…yě…		even if; even though	5
难怪	nánguài	（副）	no wonder	1
内容	nèiróng	（名）	content	3

P

爬	pá	（动）	climb	2
怕	pà	（动）	fear	7
碰	pèng	（动）	touch; run into	5
篇	piān	（量）	*a measure word*	2
片	piàn	（量）	*a measure word*	5
平	píng	（形）	flat; level; smooth	1
平凡	píngfán	（形）	ordinary	5
普通话	pǔtōnghuà	（名）	common speech of the Chinese language; standard Chinese pronunciation	7

Q

骑	qí	（动）	ride	7
奇迹	qíjì	（名）	miracle; wonder	5
其余	qíyú	（代）	others	7
起义	qǐyì	（动、名）	rise up; uprising	3
墙	qiáng	（名）	wall	3
桥	qiáo	（名）	bridge	1
亲	qīn	（形）	related by blood; intimate	3
亲眼	qīnyǎn	（副）	with one's own eyes	4
秦俑	qínyǒng	（名）	the terra-cotta of the Qin Dynasty	6
清	qīng	（形）	clear	8
清楚	qīngchu	（形）	clear; distinct	5
请客	qǐng kè		play the host	3
劝	quàn	（动）	advise; urge	5
缺	quē	（动）	lack	6
却	què	（副）	but; yet	7

R

日出	rìchū	（名）	sunrise	2
日记	rìjì	（名）	diary	2

S

洒	sǎ	（动）	spill; spray; sprinkle	2
散步	sàn bù		take a walk; go for a walk	1
晒	shài	（动）	(of the sun) shine upon; dry in the sun	3
山峰	shānfēng	（名）	mountain peak	2
伤心	shāngxīn	（形）	sad; grieved	1
赏月	shǎng yuè		admire the moon	1
烧	shāo	（动）	burn	5
蛇	shé	（名）	snake	3
神气	shénqì	（形）	vigorous; spirited	6
升	shēng	（动）	move upward	5
声	shēng	（名）	sound	6
生气	shēngqì	（动）	get angry	4
省	shěng	（动）	save	8
诗	shī	（名）	poetry; poem	3
诗人	shīrén	（名）	poet	2
尸体	shītǐ	（名）	corpse; dead body	5
…时	…shí		at the time; when	2
石头	shítou	（名）	stone	4
使	shǐ	（动）	make; send; use; enable	4
世界	shìjiè	（名）	world	5
手	shǒu	（名）	hand	4
树	shù	（名）	tree	5
说…就…	shuō…jiù…		as it's been decided … (put it into action) right away	2
死	sǐ	（动）	die	7
松树	sōngshù	（名）	pine tree	2

T

抬(头)	tái(tóu)	（动）	raise (one's head)	7
台阶	táijiē	（名）	flight of steps	4
条	tiáo	（量）	*a measure word*	1
铁人	tiěrén	（名）	iron-man statue	1
铜车马	tóngchēmǎ	（名）	bronze cart and horses	6

铜像	tóngxiàng	（名）	bronze statue	4
痛	tòng	（形）	hurt	8
突然	tūrán	（副）	suddenly	6
腿	tuǐ	（名）	leg	5

W

挖	wā	（动）	dig	6
弯曲	wānqū	（形）	winding; zigzag	3
危险	wēixiǎn	（形、名）	dangerous; danger	7
伟大	wěidà	（形）	great	5
为了	wèile	（介）	for; to	5
温暖	wēnnuǎn	（形）	warm	5
温泉	wēnquán	（名）	hot spring	2
文物	wénwù	（名）	cultural relics	2
蚊子	wénzi	（名）	mosquito	7
稳	wěn	（形）	stable	8
无论如何	wúlùn rúhé		however	8
舞会	wǔhuì	（名）	dance; ball	3

X

洗澡	xǐ zǎo		take a bath	2
先…，然后…	xiān…,ránhòu…		first ..., then ...	8
相信	xiāngxìn	（动）	believe	2
想像	xiǎngxiàng	（动）	imagine; visualize	1
消息	xiāoxi	（名）	news; information	2
小笼包子	xiǎolóng bāozi		steamed stuffed bun	3
小心	xiǎoxīn	（形）	careful	2
笑	xiào	（动）	smile; laugh	2
笑话	xiàohua	（名）	joke	1
辛苦	xīnkǔ	（形）	hard; hardworking	3
信心	xìnxīn	（名）	confidence; faith	4
雄伟	xióngwěi	（形）	grand; magnificent	4
修	xiū	（动）	repair	7
许多	xǔduō	（形）	many; much; a lot of	3

Y

烟	yān	（名）	smoke；mist	5
沿	yán	（介）	along（parallel with sth.）	1
盐	yán	（名）	salt	6
岩洞	yándòng	（名）	grotto	8
研究	yánjiū	（动）	research	6
样子	yàngzi	（名）	appearance；manner；likeli-hood	2
摇	yáo	（动）	shak；wave；rock	8
要紧	yàojǐn	（形）	important；matter	8
野生	yěshēng	（形）	wild	2
…也没/不	…yěméi/bù		never	8
一早	yìzǎo	（名）	early in the morning	2
以为…原来…	yǐwéi… yuánlái…		think … at first …, but actually…	3
议论	yìlùn	（动）	comment；talk	6
引起	yǐnqǐ	（动）	cause	6
印象	yìnxiàng	（名）	impression	1
迎客松	yíngkèsōng	（名）	name of a pine tree	2
油	yóu	（形）	oily；glib	3
尤其	yóuqí	（副）	especially；particularly	4
有利	yǒulì	（形）	beneficial；favourable	4
有趣	yǒuqù	（形）	interesting	7
雨花石	yǔhuāshí	（名）	Yuhua stone	4
越…越…	yuè…yuè…		more…more…	6
越来越	yuè lái yuè		more and more	6
原地	yuándì	（名）	former place	6
原因	yuányīn	（名）	cause；reason	2
愿	yuàn	（动）	be willing；be ready	4
愿意	yuànyì	（动）	be willing	7
约	yuē	（动）	make appointment	3
月亮	yuèliang	（名）	moon	5
晕	yūn	（动、形）	faint；dizzy	5
云海	yúnhǎi	（名）	a sea of clouds	2

Z

早(就)	zǎo(jiù)	(副)	long ago	6
造	zào	(动)	make; build; create	2
怎么(不)	zěnme(bù)	(代)	why（not）	7
眨	zhǎ	(动)	blink（one's eyes）	8
真是的	zhēn shì de		(used to express the speaker's dissatisfaction	6
镇(住)	zhèn(zhù)	(动)	force down; stablize	7
之一	zhī yī		one of	2
只要	zhǐyào	(连)	so long as; provided	8
终于	zhōngyú	(副)	at last; finally; in the end	5
竹筏	zhúfá	(名)	bamboo raft	8
主峰	zhǔfēng	(名)	the highest peak in a mountain range	2
主人	zhǔrén	(名)	master; owner	3
注意	zhùyì	(动)	pay attention to; take notice of	2
抓	zhuā	(动)	seize; catch; grab	5
专家	zhuānjiā	(名)	expert	6
姿势	zīshì	(名)	posture	6
自然	zìrán	(名、形)	nature; natural	2
总	zǒng	(副)	always; invariably	3
总算	zǒngsuàn	(副)	at last; finally	1
走过去	zǒu guo qu		go to	1
最近	zuìjìn	(名、形)	of late; recent	6
尊	zūn	(量)	*a measure word*	7
座	zuò	(量)	*a measure word*	1

专　名

B

白堤	Báidī	the dyke named after Bai Juyi	1
白蛇传	Báishézhuàn	the Folklore of White Snake	1

兵马俑博物馆	Bīngmǎyǒng Bówùguǎn	the Museum of the Terra-cotta Warriors	6

D

大足石刻	Dàzú Shíkè	Dazu Carved Stone	7

J

建国大纲	Jiànguó Dàgāng	the General Outline of the State Construction	4
九曲桥	Jiǔqū Qiáo	name of a zigzag bridge	3
九寨沟	Jiǔzhài Gōu	name of a place in Sichuan Province	7

L

乐山大佛	Lè Shān Dàfó	Leshan Great Statue of Buddha	7
李白	Lǐ Bái	an ancient poet	2
漓江	Lí Jiāng	name of a river	8
龙井茶	Lóngjǐngchá	Longjing Tea	1
芦笛岩	Lúdí Yán	name of a grotto	8

M

孟姜女	Mèngjiāngnǚ	name of a person	5

Q

七星岩	Qīxīng Yán	name of a grotto	8
秦始皇	Qín Shǐhuáng	the First Emperor of Qin Dynasty	5
秦始皇陵	Qín Shǐhuáng Líng	the Tomb of the First Emperor of the Qin Dynasty	6

S

三穗堂	Sānsuì Táng	the Pavilion of Three Spikes	3
三潭印月	Sántányìnyuè	Three Pools Mirroring the Moon	1
苏杭	Sū-Háng	the city of Suzhou and Hangzhou	1

| 孙中山 | Sūn Zhōngshān | Sun Yat-sen | 4 |

T

| 唐朝 | Tángcháo | the Tang Dynasty | 7 |
| 天都峰 | Tiāndū Fēng | Tiandu Peak | 2 |

X

象鼻山	Xiàngbí Shān	name of a mountain	8
小刀会	Xiǎodāohuì	the Small Sword Association	3
轩辕黄帝	Xuānyuán Huángdì	a man who is said to be the ancestor of Chinese	2
玄武湖	Xuánwǔ Hú	Xuanwu Lake	4

Y

燕子矶	Yànzi Jī	Yanzi Rock	4
阳朔	Yángshuò	name of a county in Guangxi Province	8
玉屏楼	Yùpíng Lóu	Yuping House	2
岳庙	Yuèmiào	Yue Fei Temple	1

Z

| 中山陵 | Zhōngshān Líng | the Sun Yat-sen Mausoleum | 4 |

A SERIES OF CONVERSATIONAL CHINESE

汉语口语系列教材：你说 我说 大家说

（下编）

旅游口语

郑国雄 陈光磊　主编
郑国雄 祝　蓉　编著
范毓民　翻译
贡树行　审校

CONVERSATIONAL CHINESE
FOR TRAVELERS

北京语言大学出版社
BEIJING LANGUAGE AND CULTURE
UNIVERSITY PRESS

第一课　曲阜三孔

（一）

山本：玛丽，我们已经到曲阜了，也就是说，已经到了一位伟大人物
　　　的故乡了，你知道他是谁吗？

玛丽：我怎么不知道呢？曲阜是孔子的故乡。

山本：那么孔子究竟是怎样一位伟大人物？

玛丽：他是中国古代有名的思想家、政治家、教育家。

山本：他究竟创立了什么学派？

玛丽：那就不知道了。

山本：他创立了儒家学派。

玛丽：你的知识真丰富。

山本：哪里，哪里。我再问你，孔子生于哪一年？死于哪一年？

玛丽：这我怎么知道呢？

山本：孔子生于公元前 551 年，死于公元前 479 年。

玛丽：也就是说，离现在已经有两千多年了，对吗？

山本：对！

（二）

山本：这就是孔庙。

玛丽：孔庙是孔子住的地方吗？

山本：不，它是历代祭祀孔子的地方。孔庙很大。

玛丽：它究竟有多大？

山本：有殿、阁、坛什么的400多间，共300多亩地。

玛丽：那可真大呀！

山本：那当然，它是世界三大古建筑群之一。如果加上孔府、孔林，那就更大了。

玛丽：孔府究竟是什么？它真的也很大吗？

山本：有200多亩，孔子的后代都住在里边，大家都说孔府是天下第一家。

玛丽：那么孔府在哪儿？

山本：孔府位于孔庙的东边，就在隔壁。

玛丽：孔子的墓究竟在哪儿？在孔府内吗？

山本：不，孔子的墓在孔林内。两千多年以来，孔子的后代多葬于孔林。孔林内究竟有多少墓，那就不清楚了。不过，孔林很大，到了清朝，面积已有3000亩，现在那儿有古树两万多棵。

玛丽：也就是说，那是一座古老的园林，对吗？

山本：对。孔林位于城市的北边，离这儿有三市里，也就是说，一公里半。你想看看吗？

玛丽：那还用说。我们先看孔庙，再看孔府，最后看孔林。你看怎么样？

山本：行！

生　词

1. 人物	rénwù	（名）	figure
2. 故乡	gùxiāng	（名）	hometown
3. 究竟	jiūjìng	（副）	after all; exactly
4. 思想家	sīxiǎngjiā	（名）	thinker
5. 政治家	zhèngzhìjiā	（名）	statesman
6. 教育家	jiàoyùjiā	（名）	educator
7. 创立	chuànglì	（动）	to establish

98

8.	学派	xuépài	(名)	school of thought; school
9.	儒家	rújiā	(名)	confucianism
10.	知识	zhīshi	(名)	knowledge
11.	(生)于	(shēng) yú	(介)	in
12.	公元	gōngyuán	(名)	the Christian era
13.	历代	lìdài	(名)	successive dynasties; past dynasties
14.	祭祀	jìsì	(动)	to offer sacrifices to gods or ancestors
15.	殿	diàn	(名)	hall
16.	阁	gé	(名)	pavilion
17.	坛	tán	(名)	altar
18.	亩	mǔ	(量)	*mu* (a Chinese unit of area)
19.	建筑群	jiànzhùqún	(名)	architectural complex
20.	加(上)	jiā(shàng)	(动)	to add; plus
21.	后代	hòudài	(名)	later generations
22.	位于	wèiyú	(动)	to be located
23.	隔壁	gébì	(名)	next door; next-door neighbor
24.	内	nèi	(名)	inner; inside
25.	以来	yǐlái	(助)	since
26.	葬	zàng	(动)	to bury
27.	面积	miànjī	(名)	area
28.	棵	kē	(量)	*a measure word*
29.	古老	gǔlǎo	(形)	ancient; age-old
30.	城市	chéngshì	(名)	city
31.	市里	shìlǐ	(量)	*a measure word*

专　名

1.	曲阜	Qūfù	name of a place
2.	三孔	Sān Kǒng	Confucian Mansion, Confucian Cemetery and Confucian Temple
3.	孔子	Kǒngzǐ	Confucius
4.	孔庙	Kǒngmiào	Confucian Temple

5. 孔府	Kǒngfǔ	Confucian Mansion
6. 孔林	Kǒnglín	Confucian Cemetery
7. 清朝	Qīngcháo	Qing Dynasty

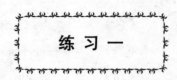

练 习 一

一、也就是说
甲、复述原句

1. 我们已经到曲阜了,也就是说,已经到了一位伟大人物的故乡了。

2. 孔子生于公元前551年,死于公元前479年,也就是说,离现在已经有两千多年了。

3. 孔林内有古树两万多棵,也就是说,那是一座古老的园林。

乙、替换练习

他买了四斤苹果	,也就是说,	他买了两公斤苹果	。
这是糖醋鱼		这鱼又甜又酸	
他的父母没了		他的父母死了	
她是我女朋友		我是他男朋友	
北京快要到了		快到中国的首都了	

丙、熟读例句

1. 孔子创立了儒家学派,也就是说,孔子是一位伟大人物。

2. 孔府在孔庙的隔壁,也就是说,孔府离孔庙很近。

3. 孔子的后代多葬于孔林,也就是说,孔林内有很多很多墓。

4. 孔庙有殿、阁、坛什么的400多间,也就是说,那是很大的古建筑群。

5. 孔子生于公元前551年,也就是说,孔子生在公元前551年。

丁、完成句子

    1. 孔庙有 300 多亩, 孔府有 200 多亩, 也就是说, _____ _____。

    2. 大家都说孔府是天下第一家, 也就是说, _____。

    3. 曲阜位于山东省, 也就是说_____。

    4. 中国是一个古老的国家, 也就是说, _____。

    5. 上有天堂, 下有苏杭, 也就是说, _____。

    6. 他已经从医院回来了, 也就是说, _____。

    7. 他永远离开这世界了, 也就是说, _____。

    8. 他知识很丰富, 也就是说, _____。

    9. 他住在我家的旁边, 也就是说, _____。

    10. 这是酸辣汤, 也就是说, _____。

二、究竟

甲、复述原句

    1. 那么孔子究竟是怎样一位伟大人物?

    2. 他究竟创立了什么学派?

    3. 孔庙究竟有多大?

    4. 孔府究竟是什么?

    5. 孔子的墓究竟在哪儿?

    6. 孔林内究竟有多少墓, 那就不清楚了。

乙、替换练习

	究竟		?
孔庙的面积		是多少	
孔子的墓		怎么样	
我的话		听懂了没有	
曲阜		在什么省	
贝多芬		是谁	

丙、熟读例句

    1. 历代究竟怎样祭祀孔子?

2．这次比赛究竟谁赢？

3．究竟什么是幸福，每个人的回答不一样。

4．你究竟会不会开车？

5．究竟苏州远还是杭州远？

丁、完成句子

1．你究竟＿＿＿＿＿＿＿＿＿＿＿＿＿＿？

2．你的家究竟＿＿＿＿＿＿＿＿＿＿＿＿？

3．他的话，你究竟＿＿＿＿＿＿＿＿＿＿？

4．两位姐妹究竟＿＿＿＿＿＿＿＿＿＿？

5．苹果和香蕉究竟＿＿＿＿＿＿＿＿＿？

6．一市里究竟＿＿＿＿＿＿＿＿＿＿？

7．这个字究竟＿＿＿＿＿＿＿＿＿＿？

8．黄山很高，你究竟＿＿＿＿＿＿＿＿？

9．乐山大佛究竟＿＿＿＿＿＿＿＿＿？

10．上海的夏天究竟＿＿＿＿＿＿＿＿？

三、那就……

甲、复述原句

1．孔子究竟创立了什么学派，那就不知道了。

2．如果加上孔府、孔林，那就更大了。

3．孔林内究竟有多少墓，那就不清楚了。

乙、替换练习

你们已知道	，那就	不介绍了	。
什么是儒家		不清楚了	
这苹果便宜		多买几斤	
衣服太脏了		洗一洗吧	
车子太挤		走着去吧	

丙、熟读例句

1. A：他的家乡在哪儿？
   B：那就不知道了。

2. A：你会唱歌,也会跳舞吧？
   B：跳舞那就不会了。

3. A：跟你一起谈谈,很高兴。
   B：那我就多坐一会儿。

4. A：已经十点了,我要走了。
   B：那就不留你了。

5. A：我知道车站在哪儿。
   B：那就不送了。

丁、完成对话

1. A：这酒很好喝。
   B：那就_____。

2. A：天气预报说,明天有雨。
   B：那就_____。

3. A：这苹果太酸了。
   B：那就_____。

4. A：我已经很累了。
   B：那就_____。

5. A：我不爱她。
   B：那就_____。

6. A：这本书我已经看过了。
   B：那就_____。

7. A：我不喜欢喝咖啡。
   B：那就_____。

8. A：那家饭店的饭菜很便宜。
   B：那就_____。

9. A：我不知道"坛"是什么意思。
   B：那就_____。

10. A：已经很晚了。

   B：那就＿＿＿＿＿＿＿＿＿＿＿。

四、于

甲、复述原句

1. 孔子生于哪一年？死于哪一年？
2. 孔子生于公元前 551 年,死于公元前 479 年。
3. 孔府位于孔庙的东边,就在隔壁。
4. 孔子的后代多葬于孔林。
5. 孔林位于城市的北边。

乙、替换练习

孔子	生于	山东曲阜
孔子	葬于	曲阜孔林
这本书	写于	复旦大学
苏州	位于	上海的北边
那本书	译于	1988 年

。

丙、熟读例句

1. 我的爷爷生于 1900 年。
2. 我的爷爷死于 1985 年。
3. 这所学校建于 1940 年。
4. 杭州位于上海的南边。
5. 纸最早出现于中国。

丁、改换说法

1. 我的奶奶是 1895 年生的。
2. 我的奶奶是 1985 年死的。
3. 我的爷爷生在绍兴。
4. 我的爷爷葬在上海。
5. 这本书是 1988 年写的。

6. 这本书是在北京大学写的。

7. 他在 1970 年翻译了这本书。

8. 这本书是在香港翻译的。

9. 上海在苏州和杭州的中间。

10. 1970 年秦俑是在西安发现的。

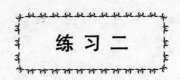

练习二

一、回答问题

1. 孔子究竟是怎样一位伟大人物？

2. 孔子创立了什么学派？

3. 孔子生于哪一年？死于哪一年？

4. 孔子故乡在哪儿？

5. 孔庙是干什么的？

6. 为什么说孔庙是世界三大建筑群之一？

7. 孔府是干什么的？

8. 为什么大家说孔府是天下第一家？

9. 孔府在哪儿？

10. 孔林是干什么的？

11. 孔林在哪儿？

12. 为什么说孔林是一座古老的园林？

二、读短文

孔子是中国古代有名的思想家、政治家、教育家，他创立了儒家学派。这位伟大人物生于公元前 551 年，死于公元前 479 年，也就是说，离现在有两千多年了。

曲阜的孔庙是历代祭祀孔子的地方。孔庙有殿、阁、坛什么的 400 多间，共 300 多亩，它是世界三大古建筑群之一。孔府是孔子后代住的地方，也很大，有 200 多亩，大家都说它是天下第一家。孔府位于孔庙的东边，就在隔壁。也就是说，参观完孔庙，接着就可参观孔府。孔林要远一些,它位于城的北边,离孔府有三市里,也就是说,一公里半。两千多年以来,孔子的后代多葬于孔林,究竟有多少墓,那就不清楚了。孔林到了清朝面积已有 3000 多亩,内有古树两万多棵,现在是一座古代园林,我们也应该去参观参观。

三、复述短文

第二课　泰　山

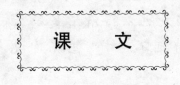

（一）

玛丽：山本，你登过泰山吗？

山本：那还用说，不登泰山，就不是真正的好汉。

玛丽：那就给我介绍介绍吧。

山本：好的。泰山是中国第一名山，历代帝王到泰山祭祀已经有四千多年历史了。从古到今，据说有72位帝王到泰山祭祀过天地。

玛丽：为什么历代帝王都要到泰山祭祀天地呢？

山本：古人把东方作为万物的开始，因为太阳就是从东边到西边的嘛。泰山正好位于中国的东部，所以成了中国第一名山。

玛丽：那么上泰山的路究竟有多长？

山本：从山脚到山顶有10公里，据说共有6000多个台阶。

玛丽：那就不上去了。这么多台阶，我爬也爬不动，走也走不完，怎么登得上去呢？

山本：是呀，登泰山好像是登天，太难了。不过现在已经有空中缆车，你坐缆车就能一步登天了。

（二）

玛丽：山本，坐缆车没什么意思吧？这样路上的风景就看不到了。

山本：怎么不是呢？据说泰山从春天到冬天，四季的风景都不一样。还有登泰山是一路文物一路景，也就是说，登泰山好像是通过一条历代书法石刻的长廊，真是看也看不完。

玛丽：那儿的石刻有什么特点？

山本：一是多，二是大。这么多帝王去过那儿，还有很多文人也去过那儿，留下的石刻真是数也数不清。因为不少字是刻在石壁上的，要让人在远处也看得清清楚楚，所以字刻得很大很大。

玛丽：对，这跟室内的碑刻不一样，也就是说，整个泰山是一座天然的碑刻博物馆。

山本：你说得对极了。

玛丽：从山脚到山顶有没有休息的地方？

山本：当然有，那就是中天门。过中天门都说是"快活三里"，在那儿走"云步桥"好像是走在云中，快活极了。

玛丽：那么泰山最险的是哪一段路？

山本：那要数十八盘了。虽然不到一公里，却要登1500多个台阶，据说坡度是60～70度。所以到了泰山顶上的人个个都是好汉。

玛丽：到了山顶，景就更美了吧？

山本：那还用说。在山顶，晴天能看日出，阴天能看云海。

生　词

1. 登	dēng	（动）	to climb
2. 真正	zhēnzhèng	（形）	real; true
3. 帝王	dìwáng	（名）	emperor; monarch
4. 据说	jùshuō	（名）	It is said
5. 古人	gǔrén	（名）	the ancients; our fore fathers
6. 东方	dōngfāng	（名）	east
7. 作为	zuòwéi	（动）	to regard ... as
8. 万物	wànwù	（名）	all things on earth

9. 正好	zhènghǎo	（形）	just; just right
10. 东部	dōngbù	（名）	the eastern part
11. 成	chéng	（动）	to become; to turn into
12. 好像是	hǎoxiàng shì		to seem; It seems that
13. 空中	kōngzhōng	（名）	in the sky
14. 缆车	lǎnchē	（名）	cable car
15. 步	bù	（名、量）	step; *a measure word*
16. 通过	tōngguò	（动、介）	to pass through
17. 石刻	shíkè	（名）	stone carving
18. 长廊	chángláng	（名）	a covered corridor or walk
19. 特点	tèdiǎn	（名）	characteristic
20. 文人	wénrén	（名）	scholar; man of letters
21. 刻	kè	（动）	to carve; to cut
22. 石壁	shíbì	（名）	stone wall
23. 远处	yuǎnchù	（名）	distant place
24. 碑刻	bēikè	（名）	stone tablet
25. 整个	zhěnggè	（形）	whole; entire
26. 天然	tiānrán	（形）	natural
27. 快活	kuàihuo	（形）	cheerful; joyful
28. 险	xiǎn	（形）	difficult of access; dangerous
29. 坡度	pōdù	（名）	slope

专 名

1. 泰山	Tài Shān	Mount Taishan
2. 中天门	Zhōngtiānmén	Middle Heaven Gateway
3. 云步桥	Yúnbù Qiáo	The Bridge above the Clouds
4. 十八盘	Shíbāpán	18-Zigzag Way

练习一

一、从……到……

甲、复述原句

1. 从古到今,据说有 72 位帝王到泰山祭祀过天地。
2. 太阳就是从东边到西边的嘛。
3. 从山脚到山顶有 10 公里。
4. 据说泰山从春天到冬天,四季的风景都不一样。
5. 从山脚到山顶有没有休息的地方?

乙、替换练习

从	东边	到	西边	。
	左边		右边	
	上边		下边	
	里边		外边	
	城市		农村	
	大人		小孩儿	

丙、熟读例句

1. 他家从里边到外边都很干净。
2. 我家从大人到小孩儿都喜欢看电视。
3. 从早上到晚上,他没休息过。
4. 从小学到大学,我一共学了十五年。
5. 他们从结婚到离婚才一个月。

丁、完成句子

1. 从_____到_____,中国有五千多年历史。
2. 从_____到_____,我坐了十多个小时飞机。
3. 从_____到_____,他穿的都是新衣服。

4．从＿＿＿＿到＿＿＿＿，他都在工作。

5．他们从＿＿＿＿到＿＿＿＿，才一个星期。

6．这儿从＿＿＿＿到＿＿＿＿，四季都有花。

7．这本书从＿＿＿＿到＿＿＿＿，共有 300 多个生词。

8．从＿＿＿＿到＿＿＿＿，我玩了八个城市。

9．从＿＿＿＿到＿＿＿＿，春节都很热闹。

10．从＿＿＿＿到＿＿＿＿，留下的石刻数也数不清。

二、据说

甲、复述原句

1．从古到今，据说有 72 位帝王到泰山祭祀过天地。

2．从山脚到山顶有 10 公里，据说共有 6000 多个台阶。

3．据说泰山从春天到冬天，四季的风景都不一样。

4．泰山十八盘，据说坡度是 60～70 度。

乙、替换练习

据说 | 坐缆车快活极了
孔子的故乡是曲阜
穿丝绸衣服很舒服 | 。

爬山
他妹妹
古代文人 | 据说 | 是很好的运动
既聪明又漂亮
都懂诗和画 | 。

丙、熟读例句

1．据说儒家学派是孔子创立的。

2．据说泰山是一座天然的碑刻博物馆。

3．登泰山据说可以坐缆车了。

4．泰山据说是一路文物一路景。

5．孔庙里边据说有殿、阁、坛什么的 400 多间。

丁、改换说法

　　1. 到了泰山山顶,听说是晴天能看日出,阴天能看云海。

　　2. 孔林里听说有古树两万多棵。

　　3. 听说泰山是中国第一名山。

　　4. 听说"迎客松"是黄山十大名松之一。

　　5. 孔庙听说是历代祭祀孔子的地方。

　　6. 听说古人把东方作为万物的开始。

　　7. 泰山石刻的特点,听说一是多,二是大。

　　8. 到了山顶,听说景就更美了。

　　9. 听说这次足球赛,巴西队赢了。

　　10. 听说山本太极拳打得很好。

三、V 也 V 不……

甲、复述原句

　　1. 这么多台阶,我爬也爬不动,走也走不完。

　　2. 泰山的石刻真是看也看不完。

　　3. 留下的石刻真是数也数不清。

乙、替换练习

课文的生词	记	也	记	不	住	。
桌上的菜	吃		吃		完	
老师的话	听		听		懂	
这么小的字	看		看		清楚	
这么脏的衣服	洗		洗		干净	

丙、熟读例句

　　1. 我身体不太好,走也走不动。

　　2. 你买了这么多酒,喝也喝不完。

　　3. 天气这么热,我睡也睡不着。

　　4. 工作这么多,我忙也忙不过来。

　　5. 时间太久了,这件事我记也记不起来。

丁、选择动词

　　1. 东西太贵了,我＿＿＿＿也＿＿＿＿不起。

　　2. 他说上海话,我＿＿＿＿也＿＿＿＿不懂。

　　3. 你借给我的书,我＿＿＿＿也＿＿＿＿不完。

　　4. 我生病了,这么好的菜,我＿＿＿＿也＿＿＿＿不下。

　　5. 他家的电话太难打了,我＿＿＿＿也＿＿＿＿不通。

　　6. 这支歌太难唱了,我＿＿＿＿也＿＿＿＿不会。

　　7. 这本书很难买,我＿＿＿＿也＿＿＿＿不到。

　　8. 这么挤的车,我＿＿＿＿也＿＿＿＿不上去。

　　9. 这公园太大了,我＿＿＿＿也＿＿＿＿不过来。

　　10. 他说话的声音太轻了,我＿＿＿＿也＿＿＿＿不清楚。

四、好像是……

甲、复述原句

　　1. 登泰山好像是登天,太难了。

　　2. 登泰山好像是通过一条历代书法石刻的长廊。

　　3. 在那儿走"步云桥"好像是走在云中,快活极了。

乙、替换练习

到了山顶	好像是	到了天上	。
她们俩		两姐妹	
这纸花		真的花	
他说话		在唱歌	

丙、熟读例句

　　1. 到了复旦大学,好像是到了自己的家。

　　2. 他喝起酒来,好像是在喝水。

　　3. 姑娘很漂亮,好像一朵花。

　　4. 他见到我,好像是见到了亲人。

113

丁、完成句子

1. 他走得很快，好像是＿＿＿＿＿＿＿＿＿。
2. 到了杭州，好像是＿＿＿＿＿＿＿＿。
3. 到了上海，好像是＿＿＿＿＿＿＿＿。
4. 他每天工作十个小时，好像是＿＿＿＿＿＿＿。
5. 他今天很不高兴，好像是＿＿＿＿＿＿＿。
6. 那是"迎客松"，好像是＿＿＿＿＿＿＿。
7. 他说话声音很大，好像是＿＿＿＿＿＿＿。
8. 她穿得漂亮极了，好像是＿＿＿＿＿＿＿。
9. 十二月还这么暖和，好像是＿＿＿＿＿＿。
10. 我见到她，好像是＿＿＿＿＿＿＿。

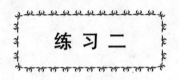

练习二

一、回答问题

1. 泰山在哪里？
2. 泰山为什么成了中国第一名山？
3. 从古到今有多少帝王到过泰山？
4. 历代帝王去泰山干什么？
5. 从山脚到山顶，泰山究竟有多少个台阶？
6. 为什么说十八盘是泰山最险的一段路？
7. 要登泰山，如果你爬也爬不动，那怎么办？
8. 为什么说爬山比坐缆车有意思？
9. 泰山的石刻有什么特点？
10. 为什么说到了山顶，景就更美了？

二、读短文

泰山位于中国的山东省。

太阳是从东边到西边的，所以古人把东方作为万物的开始。泰山正好在中国的东部，所以它就成为了中国第一名山。历代帝王都到泰山祭祀天地，从古到今，据说有 72 位帝王到过泰山，也就是说，帝王到泰山祭祀天地的历史已经有四千多年了。

泰山很高也很险。从山脚到山顶据说有 6000 多个台阶，如果你的身体不怎么样，那一定是爬也爬不动，走也走不完。特别是爬十八盘，那是泰山最险的一段路，虽然不到一公里，却要登 1500 多个台阶，据说坡度是 60~70 度。不过，现在已经有了空中缆车，坐缆车就能一步登天了。

如果你身体很好，还是爬山有意思。据说泰山从春天到冬天，四季的景都不一样。泰山是一路文物一路景，步步有景。泰山的石刻特别有名，一是多，二是大。登泰山好像是通过一条历代书法石刻的长廊，那石刻真是数也数不清，看也看不完。不少字刻在石壁上，刻得很大很大，站在远处也能看得清清楚楚。整个泰山就是一座天然的碑刻博物馆。

登泰山不容易，能登上泰山的人个个都是好汉。到了山顶，景就更美了，晴天能看日出，阴天能看云海。

三、复述短文

第三课　寒山寺

（一）

山本：玛丽,我们日本人到了苏州,总要到寒山寺玩玩,你知道为什么吗?

玛丽：你不说我也知道,东方人都相信佛教,寒山寺是有名的佛教寺庙,你们能不进去玩玩吗?

山本：对,我们对佛教寺庙都很有兴趣。寒山寺里有两口钟,有一口就是我们日本人送的。寒山寺的钟声特别好听,有一年过年的时候,我曾经在寺里听过一次,钟声太美了,我永远也忘不了。

玛丽：难道真的永远忘不了? 听了你的话,我不想去也要去了。

山本：不过到了那儿,不要立刻就进去,先在外边玩玩,拍几张照。那儿的风景好极了。

玛丽：难道那儿的风景真的好极了? 那么现在就走吧。

山本：好的。

（二）

玛丽：这儿的环境太好了。你看,绿的树,黄的墙,寺前一条河,河上还有一座高高的石桥。对了,这就是有名的"枫桥"吧,难道它真的就在这儿?

山本：你曾经听说过枫桥?

116

玛丽：是的。我曾经学过一首诗，叫《枫桥夜泊》，就是写寒山寺的。

山本：我来背："月落乌啼霜满天，江枫渔火对愁眠。姑苏城外寒山寺，夜半钟声到客船。"对吗？

玛丽：对，对，完全对！是这样四句，你不背我也记得。

山本：不过，这寺前的石桥不是枫桥，是江桥。枫桥还在前边呢。

玛丽：是吗？对了，我有一个问题，这寺没造在山上，却为什么叫"寒山寺"呢？

山本：难道你真的不知道？据说寒山是一位僧人，他曾经在这儿生活了很长时间，所以后来改成寒山寺。

玛丽：那么走进寺里，能看些什么呢？

山本：寺里有大殿、藏经楼，还有碑廊什么的。

玛丽：还有碑廊？

山本：是呀，历代文人的诗文碑刻有几十块呢。

玛丽：这倒要仔细看看，你不进去我也要进去。

山本：我能不进去看看吗？虽然我曾经进去过很多次，可是碑刻是百看不厌的。

玛丽：是的。你知识这么丰富，又这么热情，你能不陪我看看、给我讲讲吗？

山本：我懂得倒不多，不过，我们俩是好朋友，你这么说了，我能不给你讲讲吗？

玛丽：好，我们一块儿进去吧。

生　词

1. 曾经	céngjīng	（副）	once
2. 永远	yǒngyuǎn	（副）	always
3. 立刻	lìkè	（副）	immediately
4. 难道	nándào	（副）	(used in a rhetorical question for emphasis)
5. 周围	zhōuwéi	（名）	around；round

6. 环境	huánjìng	（名）	environment
7. 树木	shùmù	（名）	trees
8. 石桥	shíqiáo	（名）	stone bridge
9. 首	shǒu	（量）	*a measure word*
10. 背	bèi	（动）	to recite
11. 月落	yuè luò		moon set
12. 乌啼	wū tí		crow crows
13. 霜满天	shuāng mǎn tiān		There is frost all over
14. 江枫	jiāng fēng		maples on river banks
15. 渔火	yú huǒ		the light from the fishing boat
16. 对愁眠	duì chóu mián		feel so gloom that ... can not fall asleep
17. 完全	wánquán	（形）	absolute
18. 僧人	sēngrén	（名）	monk
19. 改	gǎi	（动）	to change into
20. 藏	cáng	（动）	to keep; to hide
21. 经	jīng	（名）	scripture
22. 诗文	shīwén	（名）	poem
23. 仔细	zǐxì	（形）	careful; attentive
24. 百看不厌	bǎi kàn bú yàn		be worth seeing a hundred times
25. 热情	rèqíng	（形）	warm
26. 一块儿	yíkuàir	（副）	together

专　名

1. 寒山寺	Hánshān Sì	Hanshan Temple
2. 枫桥	Fēng Qiáo	Feng Bridge;
3. 枫桥夜泊	Fēng Qiáo Yè Bó	anchored the boat near the Feng Bridge
4. 姑苏	Gūsū	Suzhou
5. 江桥	Jiāng Qiáo	Jiang Bridge

一、不……也……

甲、复述原句

    1. 你不说我也知道。

    2. 我不想去也要去了。

    3. 你不背我也记得。

    4. 你不进去我也要进去。

乙、替换练习

你不		我也		。
	介绍		知道	
	请客		要去	
	相信		要说	
	回答		要问	
	想吃		要买	

丙、熟读例句

    1. 你不介绍我也认识。

    2. 你不喜欢我也要买。

    3. 你不来我也要做很多菜。

    4. 你不讲我也知道。

    5. 你不说我也清楚。

丁、完成句子

    1. 你不介绍,我也_____。

    2. 你不喜欢,我也_____。

    3. 你不欢迎,我也_____。

    4. 你不听,我也_____。

    5. 你不问,我也_____。

6. 你不_____我也要买。

7. 你不_____我也要问。

8. 你不_____我也明白。

9. 你不_____我也要去。

10. 你不_____我也相信。

二、能不……吗

甲、复述原句

1. 你们能不进去玩玩吗？

2. 我能不进去看看吗？

3. 你能不陪我看看、给我讲讲吗？

4. 我能不给你讲讲吗？

乙、替换练习

我能不

| 陪你玩玩 |
| 给你说说 |
| 仔细参观 |
| 相信 |
| 喜欢 |

吗？

丙、熟读例句

1. 这么伟大的人物我能不知道吗？

2. 我相信佛教，我能不参观寒山寺吗？

3. 你是我的好朋友，我能不相信你的话吗？

4. 这么热情漂亮的姑娘，我能不喜欢吗？

5. 你服务得这么好，我能不满意吗？

丁、改换说法

1. 你的话，我一定听。

2. 你说的话，我当然相信。

3. 这么好的地方，我一定去玩玩。

120

4. 你请客,我一定去。

5. 你叫我唱,我就唱。

6. 你陪我去,我当然高兴。

7. 医生叫我吃药,我当然吃。

8. 老师叫我背诗,我就背。

9. 妈妈问我,我一定说。

10. 孩子不听话,我当然很生气。

三、曾经
甲、复述原句

1. 我曾经在寺里听过一次,钟声太美了。

2. 你曾经听说过枫桥?

3. 我曾经学过一首诗。

4. 他曾经在这儿生活了很长时间。

5. 我曾经进去过很多次。

乙、替换练习

我曾经 | 能背《枫桥夜泊》 |。
| 跟他一起工作过 |
| 参观过孔庙 |
| 登上了泰山 |
| 生过大病 |

丙、熟读例句

1. 我曾经登上了长城。

2. 我曾经学过日语。

3. 我曾经见过那位僧人。

4. 他曾经坐过缆车。

5. 他曾经在泰山顶上看过日出。

丁、完成对话

    1．A：你是第一次来中国吗？

        B：＿＿＿＿＿＿＿＿＿。

    2．A：你在哪儿吃过烤鸭？

        B：＿＿＿＿＿＿＿＿＿。

    3．A：你会说英语吗？

        B：＿＿＿＿＿＿＿＿＿。

    4．A：你去过哪些地方？

        B：＿＿＿＿＿＿＿＿＿。

    5．A：他帮助过你没有？

        B：＿＿＿＿＿＿＿＿＿。

    6．A：你知道那家旅馆吗？

        B：＿＿＿＿＿＿＿＿＿。

    7．A：你认识那位老师吗？

        B：＿＿＿＿＿＿＿＿＿。

    8．A：你身体一直很好吗？

        B：＿＿＿＿＿＿＿＿＿。

    9．A：你看过云海没有？

        B：＿＿＿＿＿＿＿＿＿。

    10．A：你喝过中国的名茶吗？

        B：＿＿＿＿＿＿＿＿＿。

四、难道

甲、复述原句

    1．难道真的永远忘不了？

    2．难道那儿的风景真的好极了？

    3．难道它真的就在这儿？

    4．难道你真的不知道？

乙、替换练习

难道　你就是玛丽小姐　？
　　　你真的相信佛教
　　　孔林比孔庙还大
　　　你看得懂这些碑刻
　　　登泰山真的像登天

丙、熟读例句

1. 难道寒山寺的钟真的很大？
2. 难道寒山寺真的有藏经楼？
3. 难道碑刻真的百看不厌？
4. 难道你不相信有这样的事？
5. 难道这个字老师都不认识？

丁、完成对话

1. A：孔子是谁？
   B：＿＿＿＿＿＿＿＿＿＿＿？
2. A：寒山寺是一座山吗？
   B：＿＿＿＿＿＿＿＿＿＿＿？
3. A：枫桥在哪儿？
   B：＿＿＿＿＿＿＿＿＿＿＿？
4. A：寒山寺的周围环境好吗？
   B：＿＿＿＿＿＿＿＿＿＿＿？
5. A：刚才你跟谁说话？
   B：＿＿＿＿＿＿＿＿＿＿＿？
6. A：姐妹俩像极了。
   B：＿＿＿＿＿＿＿＿＿＿＿？

7. A：有这样的事吗？
   B：＿＿＿＿＿＿＿＿？

8. A：这是什么字？
   B：＿＿＿＿＿＿＿＿？

9. A：你们去游泳，我不去。
   B：＿＿＿＿＿＿＿＿？

10. A：我真的想有一个孩子。
    B：＿＿＿＿＿＿＿＿？

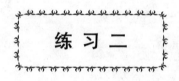

练 习 二

一、回答问题

1. 寒山寺位于什么地方？
2. 为什么叫寒山寺？
3. 寒山寺周围环境怎么样？
4. 走进寒山寺能看些什么？
5. 寒山寺为什么有两口大钟？
6. 寒山寺的碑廊怎么样？
7. 请背一下《枫桥夜泊》好吗？
8. 这首诗的意思是什么？

二、读短文

　　寒山寺是中国有名的佛教寺庙，它位于苏州城外。寒山是一位僧人，他曾经在寺里生活了很长时间，所以后来改成寒山寺。

　　寒山寺周围环境很好，绿的树，黄的墙，寺前有一条河，河上还有一座高高的石桥。但那不是枫桥，它叫江桥，枫桥还在前边呢。

寒山寺里有大殿、藏经楼、钟楼、碑廊。钟楼里有两口大钟，有一口是我们日本送的。寒山寺的钟声特别好听，有一年过年的时候，我曾经在寺里听过一次，钟声太美了，我永远也忘不了。难道你不想听听吗？我想，听了我的介绍，你不想去也要去了。对了，还有碑廊里边有历代文人的诗文碑刻几十块，喜欢书法的人，能不进去看看吗？

写寒山寺的名诗是哪一首？我不说你也记得，它叫《枫桥夜泊》：月落乌啼霜满天，江枫渔火对愁眠。姑苏城外寒山寺，夜半钟声到客船。

难道你背不出来？那就等背出来以后再去寒山寺吧。

三、复述短文

第四课　瘦西湖

（一）

玛丽：听说扬州也有一个西湖，是吗？

山本：是的。由于湖在扬州的西郊，就叫它"西湖"，又由于湖面瘦长，就叫它"瘦西湖"。

玛丽：人是瘦一点儿好看，湖瘦了，究竟好看不好看呢？

山本：人们说，瘦西湖像中国古代美女西施，能不好看吗？

玛丽：既然像美女西施，当然非常好看。

山本：据说著名的旅行家马可·波罗曾经来过扬州，到过瘦西湖。瘦西湖有一个友谊厅，里边还有一座石碑刻着马可·波罗的像呢。

玛丽：既然这样，那就去看看吧。

（二）

山本：这就是瘦西湖。

玛丽：远处是山，近处是水，还有塔呀，桥呀，亭呀。说真的，到处都是美景。

山本：你看，那塔像不像北京的白塔？

玛丽：像，很像。

山本：据说有一次乾隆皇帝到扬州游览，问地方官："扬州有没有北

126

京那样的白塔?"地方官随口说:"有！有！"乾隆皇帝听了以后,说第二天要去看看。那时候扬州是没有白塔的,既然说有,就不能没有,于是他们连夜用盐包堆了一座假白塔。说真的,实在太巧了,第二天雾气蒙蒙,乾隆皇帝坐在船上,隐隐约约看到远处的白塔,他很快活。乾隆离开扬州后,地方官怕皇帝下次再来看白塔,于是搬掉盐包,造了一座真塔,那就是现在的白塔。

玛丽：说真的,这个故事也太有意思了,地方官也太聪明了。

山本：是呀,扬州有运河,由于这儿是盐的集散地,才有这么多盐包呀。

玛丽：你再看那儿,那是亭还是桥?

山本：由于桥上有五座亭,人们就叫它五亭桥。

玛丽：湖的那边,还有一座亭呢。

山本：那叫钓鱼台,据说乾隆皇帝在那儿钓过鱼。钓鱼台有两个圆洞门：一个圆洞门朝五亭桥,另一个圆洞门朝白塔。这是借景手法,于是有很多人在那儿拍照。

玛丽：说真的,这借景手法太好了。

山本：既然这样,那就先去那儿拍照吧。

玛丽：好的。

生 词

1. 由于	yóuyú	（介、连）	because; owing to
2. 郊	jiāo	（名）	suburbs; outskirts
3. 湖面	húmiàn	（名）	the surface of the lake
4. 人们	rénmen	（名）	people; the pulic
5. 美女	měinǚ	（名）	beautiful woman; beauty
6. 既然	jìrán	（连）	since; as; now that
7. 到处	dàochù	（名）	at all places; everywhere
8. 塔	tǎ	（名）	pagoda; tower

9. 亭	tíng	（名）	pavillion
10. 皇帝	huángdì	（名）	emperor
11. 地方官	dìfāngguān	（名）	local official
12. 随口	suíkǒu	（副）	speak thoughtlessly or casually
13. 于是	yúshì	（连）	as a reault; so
14. 连（夜）	lián (yè)	（副）	the same night
15. 盐包	yánbāo	（名）	a sack of salt
16. 堆	duī	（动）	to pile up
17. 假	jiǎ	（形）	artificial
18. 巧	qiǎo	（形）	coincidental; as luck would have it
19. 雾气	wùqì	（名）	fog; mist
20. 蒙蒙	méngméng	（形）	drizzly; misty
21. 隐约	yǐnyuē	（形）	indistinct
22. 下次	xiàcì	（名）	next time
23. 集散地	jísàndì	（名）	collecting and distributing center
24. 钓	diào	（动）	to fish
25. 圆	yuán	（形）	round; circular
26. 洞门	dòngmén	（名）	moon gate
27. 借景	jiè jǐng		taking the advantage of the landscape
28. 手法	shǒufǎ	（名）	technique

专　　名

1. 瘦西湖	Shòuxīhú	Slim West Lake
2. 扬州	Yángzhōu	name of a city
3. 西施	Xīshī	name of a beauty
4. 马可·波罗	Mǎkě Bōluó	an Italian traveller
5. 白塔	Báitǎ	white pagoda
6. 乾隆	Qiánlóng	emperor Qian Long
7. 运河	Yùnhé	the Grand Canal
8. 五亭桥	Wǔtíng Qiáo	Five-Pavilion Bridge

9. 钓鱼台　　Diàoyútái　　　　　　　Fishing platform

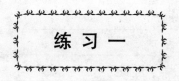

练习一

一、由于

甲、复述原句

1. 由于湖在扬州的西郊,就叫它"西湖"。

2. 又由于湖面瘦长,就叫它"瘦西湖"。

3. 由于这儿是盐的集散地,才有这么多盐包呀。

4. 由于桥上有五座亭,人们就叫它五亭桥。

乙、替换练习

由于	时间的关系 工作的关系	我不多说了 我跟他认识了	。

| 由于 | 他生病了
他学习努力 | ,因此 | 他今天没来上课
他进步很快 | 。 |

丙、熟读例句

1. 由于健康原因,他不能出国访问。

2. 由于不习惯,他很快回国了。

3. 他由于自己的努力,考上了有名的大学。

4. 由于他身体很好,因此大家都叫他"老牛"。

5. 由于雾气蒙蒙,因而远处的白塔隐隐约约的。

丁、完成句子

1. 由于＿＿＿＿＿＿＿＿,我们不去旅行了。

2. 由于＿＿＿＿＿＿＿＿,这些树木都死了。

3. 由于＿＿＿＿＿＿＿＿,他昨天生病了。

4. 由于＿＿＿＿＿＿＿＿＿，因此天天给她打电话。

5. 由于＿＿＿＿＿＿＿＿＿，因此他常常请客吃饭。

6. 由于社会的发展，＿＿＿＿＿＿＿＿＿。

7. 由于水平的提高，＿＿＿＿＿＿＿＿＿。

8. 由于习惯不一样，因此＿＿＿＿＿＿＿＿＿。

9. 由于没有工作，因而＿＿＿＿＿＿＿＿＿。

10. 由于孩子太多，因而＿＿＿＿＿＿＿＿＿。

二、既然

甲、复述原句

1. 既然像美女西施，当然非常好看。

2. 既然这样，那就去看看吧。

3. 既然说有，就不能没有。

4. 既然这样，那就先去那儿拍照吧。

乙、替换练习

既然 | 你一定要去 | ，| 那你就去吧 | 。
时间还早 | 我就在这儿多坐一会儿
你想看电影 | 我就陪你去吧

丙、熟读例句

1. 既然到处都是美景，那就多拍几张照吧。

2. 既然那儿可以钓鱼，就去那儿钓鱼吧。

3. 既然湖面上雾气蒙蒙，就不要坐船了。

4. 既然皇帝来了，地方官就要陪他玩玩。

5. 既然扬州是盐的集散地，那儿的盐包一定很多。

丁、完成句子

1. 既然已经很晚了，＿＿＿＿＿＿＿＿＿。

2. 既然身体不舒服，＿＿＿＿＿＿＿＿＿。

3. 既然你喜欢喝酒，＿＿＿＿＿＿＿＿＿。

4. 既然你不喜欢她,_____。

5. 你既然生活不习惯,_____。

6. 你既然工作很忙,_____。

7. 既然马可·波罗是著名的旅行家,_____。

8. 既然那白塔是假的,_____。

9. 既然你不知道什么叫儒家,_____。

10. 既然你还是不明白,_____。

三、说真的

甲、复述原句

1. 说真的,到处都是美景。

2. 说真的,实在太巧了。

3. 说真的,这个故事也太有意思了。

4. 说真的,这借景手法太好了。

乙、替换练习

说真的, | 乾隆皇帝在那儿钓过鱼
桥上有五座亭
地方官是随口说的
我不懂"隐约"是什么意思 | 。

丙、熟读例句

1. 说真的,瘦西湖湖面瘦长。

2. 说真的,我不相信用盐包能堆成白塔。

3. 说真的,连夜堆了一座假白塔。

4. 说真的,我不懂什么叫借景手法。

5. 说真的,中国的运河很长很长。

丁、完成对话

1. A：你去过曲阜吗?

   B：_____。

2．A：你了解孔子吗？
B：＿＿＿＿＿＿＿＿＿＿＿＿。

3．A：孔府真的很大吗？
B：＿＿＿＿＿＿＿＿＿＿＿＿。

4．A：泰山真的很高吗？
B：＿＿＿＿＿＿＿＿＿＿＿＿。

5．A：过"步云桥"，真的很快活吗？
B：＿＿＿＿＿＿＿＿＿＿＿＿。

6．A：寒山寺有大钟吗？
B：＿＿＿＿＿＿＿＿＿＿＿＿。

7．A：难道这不是枫桥？
B：＿＿＿＿＿＿＿＿＿＿＿＿。

8．A：你有很多钱吧？
B：＿＿＿＿＿＿＿＿＿＿＿＿。

9．A：你还没有结婚？
B：＿＿＿＿＿＿＿＿＿＿＿＿。

10．A：你家离这儿远不远？
B：＿＿＿＿＿＿＿＿＿＿＿＿。

四、于是

甲、复述原句

1．既然说有，就不能没有，于是他们连夜用盐包堆了一座假白塔。

2．地方官怕皇帝下次再来看白塔，于是搬掉盐包，造了一座真塔。

3．这是借景手法，于是有很多人在那儿拍照。

乙、替换练习

天下雨了		我回房间拿了一把伞	
他生病了		我们把他送到医院去	
她喜欢花	，于是	我买了很多花送给她	。
都说这儿风景好		我也在这儿拍了一张照	
我丈夫喜欢孩子		我又给他生了一个孩子	

132

丙、熟读例句

　　1. 那边凉快,于是我坐到那边去。

　　2. 都说西郊比东郊好玩,于是我就去西郊玩。

　　3. 大家都不想去,于是我也不去了。

　　4. 他说不喜欢吃肉,于是我就请他吃鱼。

　　5. 孔府就在孔庙的隔壁,于是看了孔庙又去看孔府。

丁、完成句子

　　1. 今天是他的生日,于是＿＿＿＿＿＿＿＿＿＿。

　　2. 房间里太热了,于是＿＿＿＿＿＿＿＿＿＿。

　　3. 他知识丰富,我有了问题,于是＿＿＿＿＿＿＿＿＿＿。

　　4. 听说孔子葬于孔林,于是＿＿＿＿＿＿＿＿＿＿。

　　5. 圆洞门能借景,于是＿＿＿＿＿＿＿＿＿＿。

　　6. 他说他没有听懂我的话,于是＿＿＿＿＿＿＿＿＿＿。

　　7. 他需要一本汉语词典,于是＿＿＿＿＿＿＿＿＿＿。

　　8. 他说可在钓鱼台钓鱼,于是＿＿＿＿＿＿＿＿＿＿。

　　9. 过河没有桥,于是＿＿＿＿＿＿＿＿＿＿。

　　10. 他说下次不再迟到了,于是＿＿＿＿＿＿＿＿＿＿。

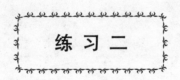

练 习 二

一、回答问题

　　1. 瘦西湖在哪儿?

　　2. 你知道为什么叫瘦西湖吗?

　　3. 瘦西湖旁边为什么要造白塔?

　　4. 假白塔是怎样造起来的?

　　5. 真白塔是什么时候造的?

　　6. 你知道为什么叫五亭桥吗?

　　7. 钓鱼台在什么地方?

8. 钓鱼台有什么特点？

9. 为什么人们喜欢在钓鱼台那儿拍照？

10. 为什么说著名的旅行家马可·波罗到过扬州？

二、读短文

杭州有一个西湖，扬州也有一个西湖，扬州的西湖在扬州的西郊。由于扬州的西湖湖面瘦长，人们就叫它"瘦西湖"。

说真的，瘦西湖像中国古代美女西施那样美丽。既然这样，到扬州的游客于是都要到瘦西湖玩玩。据说著名的旅行家马可·波罗也到那儿玩过，在瘦西湖的友谊厅里，还有一座石碑刻着马可·波罗的像呢。

瘦西湖的风景非常好，可以说到处都是美景。湖旁有一座白塔。说真的，它跟北京的白塔差不多。白塔是乾隆皇帝游了瘦西湖以后造的。瘦西湖有一座桥，由于桥上有五座亭，人们就叫它五亭桥。在五亭桥和白塔的湖对面就是钓鱼台，据说乾隆皇帝在那儿钓过鱼。钓鱼台有两个圆洞门：一个圆洞门朝五亭桥，另外一个圆洞门朝白塔。这是借景手法，于是就有很多人在那儿拍照。

白塔的故事很有意思，我就不说了，还是让你讲一讲吧。

三、复述短文

四、复述白塔的故事

第五课　普陀山

（一）

玛丽：山本,普陀山是一个小岛,有什么古迹吗?

山本：岛虽小,可是相当有名,它是中国四大佛教名山之一。岛上有
三座大寺,就是普济寺、法雨寺和慧济寺,还有 80 多个庵院,
100 多个小庙。可见,普陀山的古迹相当多。

玛丽：那么它是怎么成为名山的呢?

山本：据说公元 916 年,我们日本僧人慧锷曾经从中国五台山请观音
像回日本,坐船经过普陀山时,哪知道当时海上出现了大风大
浪。于是慧锷就跪在观音像前说:"观音菩萨,你的圣像非常
庄严,我想把你请到日本去,如果我得罪了你,我就上岸建一
个庙供奉圣像吧。"哪知道他一说完,当时船就在潮音洞边停
了下来。慧锷马上登岸,找到了几位渔民,说了刚才发生的事
儿。渔民听了以后,很快就在潮音洞边建起了"不肯去观音
院"。可见,普陀山能成为佛教名山,慧锷的功劳还真不小呢。

玛丽：说真的,这个故事相当有意思。不过,"不肯去观音院"应改为
"不肯去日本观音院"。山本,你知道当时观音菩萨为什么不
肯去日本吗?

山本：你说呢?

玛丽：我看,由于当时日本没有中国富,因而观音不肯去日本。

山本：你又在开玩笑了。

玛丽：我以为观音是男菩萨，哪知道是位美女，非常漂亮。

山本：观世音菩萨不但外表美，内心也很美。如果哪位女人没有孩子，到这儿求她，她准会让你生一个孩子，所以观音菩萨也叫"送子观音"。可见，观音是位非常慈悲的菩萨。

玛丽：再到那边看看，那"潮音洞"是什么意思？

山本：你看，这周围都是石壁，像是一口大井，深几十米，底下有一个大洞，由于潮水进来时就好像是打雷，声音响得很，因此叫"潮音洞"。

玛丽：的确不错。普陀山周围是海，整个海滩都可游泳，对不对？

山本：完全对。千步沙就是相当有名的海滩。那儿沙细水清，是游泳的好地方。那儿的沙不沾脚，这种沙全世界只有两个地方有，除了这儿，还有一个在美国的夏威夷。

玛丽：既然这样，我们快快去千步沙游泳吧。

生　词

1. 相当	xiāngdāng	（副）	rather; quite
2. 庵院	ānyuàn	（名）	nunnery
3. 可见	kějiàn	（连）	It is thus clear that
4. 成为	chéngwéi	（动）	to become; to turn into
5. 哪知道	nǎ zhīdao		who knows
6. 当时	dāngshí	（名）	then; at that time
7. 出现	chūxiàn	（动）	to happen; to appear
8. 菩萨	púsà	（名）	Buddha
9. 圣像	shèngxiàng	（名）	statue of a sage
10. 庄严	zhuāngyán	（形）	solemn; dignified
11. 得罪	dézuì	（动）	to offend
12. 供奉	gòngfèng	（动）	to worship

136

13.	岸	àn	（名）	bank
14.	建	jiàn	（动）	to build
15.	渔民	yúmín	（名）	fisherman
16.	刚才	gāngcái	（副）	just now
17.	发生	fāshēng	（动）	to happen
18.	功劳	gōngláo	（名）	contribution
19.	富	fù	（形）	rich; prosperous
20.	开玩笑	kāi wánxiào		joke; make fun of
21.	外表	wàibiǎo	（名）	appearance
22.	内心	nèixīn	（名）	heart; one's inner world
23.	慈悲	cíbēi	（形）	benevolent
24.	潮	cháo	（名）	tide
25.	的确	díquè	（副）	indeed; really
26.	海滩	hǎitān	（名）	seabeach
27.	沙	shā	（名）	sand
28.	沾	zhān	（动）	to touch; to stick

专　名

1.	普陀山	Pǔtuó Shān	Putuo Mountain
2.	普济寺	Pǔjì Sì	Puji Temple
3.	法雨寺	Fǎyǔ Sì	Fayu Temple
4.	慧济寺	Huìjì Sì	Huiji Temple
5.	慧锷	Huì'è	a person's name
6.	五台山	Wǔtái Shān	Wutai Mountain
7.	观音	Guānyīn	goddess of mercy
8.	潮音洞	Cháoyīn Dòng	name of a cave
9.	不肯去观音	Bùkěnqù Guānyīn	Guanyin who is not willing to leave
10.	千步沙	Qiānbùshā	A Thousand-Step-Beach
11.	夏威夷	Xiàwēiyí	Hawaii

练习一

一、相当

甲、复述原句

    1. 岛虽小,可是相当有名。

    2. 普陀山的古迹相当多。

    3. 这个故事相当有意思。

    4. 千步沙就是相当有名的海滩。

乙、替换练习

昨天的节目	相当	精彩	。
那边的交通		方便	
生日蛋糕		新鲜	
这个孩子		可爱	

丙、熟读例句

    1. 我对你们的服务相当满意。

    2. 他的学习成绩相当好。

    3. 他说的话相当有道理。

    4. 你穿这件衣服相当合适。

    5. 千步沙的水相当清。

丁、完成句子

    1. 他的身体相当＿＿＿＿＿＿＿＿＿＿。

    2. 我的工作相当＿＿＿＿＿＿＿＿＿＿。

    3. 这儿的环境相当＿＿＿＿＿＿＿＿＿＿。

    4. 他对我的帮助相当＿＿＿＿＿＿＿＿＿＿。

    5. 出租汽车开得相当＿＿＿＿＿＿＿＿＿＿。

    6. 普陀山的庵院相当＿＿＿＿＿＿＿＿＿＿。

138

7.他是一个相当＿＿＿＿＿＿＿＿的人。

8.复旦大学是所相当＿＿＿＿＿＿＿＿的大学。

9.十八盘是一条相当＿＿＿＿＿＿＿＿的路。

10.我看了一本相当＿＿＿＿＿＿＿＿的书。

二、哪知道

甲、复述原句

1.哪知道当时海上出现了大风大浪。

2.哪知道他一说完,当时船就在潮音洞边停了下来。

3.我以为观音是男菩萨,哪知道是位美女。

乙、替换练习

我以为 | 瘦西湖在杭州
沙都要沾脚
寒山是山的名字
慧锷是中国人 | ,哪知道 | 瘦西湖在扬州
这儿的沙不沾脚
寒山是人的名字
慧锷是日本人 | 。

丙、熟读例句

1.皇帝以为那是真白塔,哪知道那是假白塔。

2.妈妈以为我没男朋友,哪知道去年我就有男朋友了。

3.我以为那是你姐姐,哪知道那是你妈妈。

4.刚才还有太阳,哪知道现在下起雨来了。

5.他说下星期回国,哪知道昨天就回国了。

丁、完成句子

1.我以为普陀山古迹不多,哪知道＿＿＿＿＿＿＿＿。

2.我以为只有北京有白塔,哪知道＿＿＿＿＿＿＿＿。

3.我以为她还没有结婚,哪知道＿＿＿＿＿＿＿＿。

4.我以为他不会开玩笑,哪知道＿＿＿＿＿＿＿＿。

5.他以为上海的马路很脏,哪知道＿＿＿＿＿＿＿＿。

6.这蛋糕是今天买的,哪知道＿＿＿＿＿＿＿＿。

7. 这苹果又大又红,哪知道_____。

8. 天气预报说,今天有雨,哪知道_____。

9. 都说这次考试一定很难,哪知道_____。

10. 渔民家里一定有鱼,哪知道_____。

三、当时

甲、复述原句

1. 哪知道当时海上出现了大风大浪。

2. 哪知道他一说完,当时船就在潮音洞边停了下来。

3. 你知道当时观音菩萨为什么不肯去日本吗?

4. 由于当时日本没有中国富,因而观音不肯去日本。

乙、替换练习

当时 | 我是中学生
| 我只有十五岁
| 我父母离婚了
| 他跟我在一个班 | 。

丙、熟读例句

1. 当时,我家住在他隔壁。

2. 我当时常去他家玩儿。

3. 这事儿当时为什么不说?

4. 当时的中国还没有电视。

5. 当时的气候比现在好。

丁、完成句子

1. 他来的时候,我当时_____。

2. 那天我在路上遇见他,当时_____。

3. 1985年,我们结婚了,当时_____。

4. 我们登上了泰山,当时_____。

5. 五年前我们来过普陀山,当时_____。

140

6. 我们春天去西湖玩,当时的_____,实在太美了。

7. 由于当时_____,因而我没买东西。

8. 十年前,当时的_____还不贵。

9. 很多年过去了,可是当时的_____我没忘记。

10. 他生病了,你当时为什么_____?

四、可见

甲、复述原句

1. 可见,普陀山的古迹相当多。

2. 可见,普陀山能成为佛教名山,慧锷的功劳还真不小呢。

3. 可见,观音是位非常慈悲的菩萨。

乙、替换练习

他什么都知道	,可见	他知识非常丰富	。
他天天去上课		他学习很认真	
西安是中国的古都		古迹一定不少	
他天天供奉菩萨		他非常相信菩萨	

丙、熟读例句

1. 普陀山渔民很多,可见,周围海里的鱼一定很多。

2. 她天天去求观音菩萨,可见,她很想有个孩子。

3. 那叫钓鱼台,可见,那是钓鱼的好地方。

4. 她不敢得罪丈夫,可见,她很怕她的丈夫。

5. 她常常帮助别人,可见,她内心很美。

丁、完成句子

1. 他天天去看病,可见_____。

2. 电影院里人很多,可见_____。

3. 上星期他买了三辆汽车,可见,_____。

4. 那是万里长城,可见_____。

5. 孔府是天下第一家,可见,_____。

6. 登泰山好像是登天，可见，_____。

7. 瘦西湖像中国古代美女西施，可见，_____。

8. 上有天堂，下有苏杭，可见_____。

9. 泰山是一座天然的碑刻博物馆，可见，_____。

10. 中国有五千年的历史，可见_____。

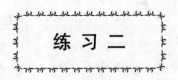

练 习 二

一、回答问题

1. 普陀山是一个小岛，为什么相当有名？

2. 为什么说普陀山的古迹相当多？

3. 观音是怎样一位菩萨？

4. 观音是怎样来到普陀山的？

5. 潮音洞在哪儿？

6. 为什么叫它潮音洞？

7. 普陀山的海滩多不多？为什么？

8. 为什么说千步沙是游泳的好地方？

二、读短文

　　普陀山是一个小岛，可是相当有名，它是中国四大佛教名山之一。岛上有三座大寺，还有80多个庵院，100多个小庙，可见，普陀山的古迹相当多。

　　普陀山最有名的菩萨是观音。菩萨一般是男的，哪知道观音是位美女。观音不但外表美，而且内心也很美。如果哪位女人没有孩子，到这儿求她，她准会让这个女人生一个孩子，所以观音菩萨也叫"送子观音"。可见，观音是位非常慈悲的菩萨。紫竹林中有一个"不肯去观音院"，不肯去观音的故事相当有意思，我不说你也知道，还是请你讲一讲吧。讲一讲当时不肯去观音是怎样来到普陀山的。

　　紫竹林附近有一个"潮音洞"，那儿周围都是石壁，像是一口大井，深几十米，底下有一个大洞，由于潮水进来时就好像是在打雷一

142

样,声音响得很,因此叫"潮音洞"。

　　普陀山周围是海,整个海滩都可以游泳。最有名的海滩是千步沙,那儿沙细水清,沙不沾脚,除了美国的夏威夷,没有一个海滩能跟它比,可见,千步沙是游泳的好地方。

三、复述短文

四、复述不肯去观音的故事

第六课　兰　亭

（一）

山本：这两天我们东逛西逛，东看西看，你觉得绍兴怎么样？

玛丽：我觉得鲁迅故居有看头，东湖有玩头，越王的故事有听头。

山本：还有孔乙己常去的咸亨酒店呢？

玛丽：那儿的酒有喝头，点心有吃头。我是东问西问，你是东讲西讲，有问又有答，说真的，我相当满意。

山本：对，绍兴的酒的确很好喝，点心的确很好吃，风景的确很好看，绍剧越剧的确很好听。既然绍兴不很大，我们俩三四天就能走遍绍兴，玩遍绍兴，看遍绍兴，吃遍绍兴。

玛丽：难道还有好玩的地方吗？

山本：怎么没有呢？现在我们去兰亭，在那儿，我给你讲王羲之的故事，你不反对吧？

玛丽：我怎么会反对呢？我同意！

（二）

山本：这就是兰亭。

玛丽：哟，这是一座园林，风景真好看，空气真新鲜。

山本：这是晋代大书法家王羲之写《兰亭集序》的地方。

玛丽：那上边"曲水流觞"四个字是什么意思？

山本："曲水"指前边弯弯曲曲的溪水，"流觞"指流动的酒杯。据说公元 353 年三月初三，当时王羲之邀请 41 位朋友在这儿作诗。诗人们坐在溪边，水上放一只小酒杯。因为是曲水，所以酒杯漂流时，有时候会停下来。酒杯停在谁面前，谁就拿起酒杯，喝一杯酒，作一首诗。

玛丽：说真的，这样的游戏真是有玩头。

山本：再看那边的"墨池"，据说是王羲之练字洗笔的地方。天天练字，天天洗笔，池水就完全变成墨一样黑了。看了"墨池"，再去看"鹅池"吧。

玛丽：这鹅池里的大白鹅东游西游，真可爱，真好玩。

山本：再来看这石碑，你猜碑上"鹅池"两字是谁写的？

玛丽：那还用说，那一定是王羲之写的。

山本：你只说对了一半。据说这"鹅"字是王羲之写的，他正要往下写时，哪知道忽然接到皇帝的命令，这时他立刻停笔走了。当时，他的儿子王献之正在旁边，就接下去写了"池"字，合在一起，就成为"鹅池"两字。

玛丽：那么，王献之一定也是一位书法家啰。

山本：是的，不过，他的字比起王羲之来，差多了。

玛丽：究竟差在哪儿？

山本：这我可回答不出来了。

玛丽：难道你真的回答不出来？

山本：怎么不是呢。

生　词

1. 东…西…	dōng…xī…		here and there
2. 故居	gùjū	（名）	former residence
3. 遍	biàn	（形）	all over; everywhere
4. 反对	fǎnduì	（动）	to oppose
5. 同意	tóngyì	（动）	to agree

145

6. 空气	kōngqì	（名）	air
7. 曲水	qū shuǐ		a zigzag brook
8. 流觞	liú shāng		a floating wine cup
9. 溪	xī	（名）	brook
10. 流动	liúdòng	（动）	to flow
11. 初三	chūsān	（名）	the third day of a month
12. 邀请	yāoqǐng	（动、名）	to invite; invitation
13. 有时候	yǒu shíhou		sometimes
14. 面前	miànqián	（名）	in front of
15. 游戏	yóuxì	（名）	game
16. 池	chí	（名）	pond
17. 变成	biàn chéng		to turn into
18. 墨	mò	（名）	ink
19. 鹅	é	（名）	goose
20. 忽然	hūrán	（副）	suddenly
21. 命令	mìnglìng	（名、动）	order; command
22. 合	hé	（动）	to put together

专　名

1. 兰亭	Lántíng	name of a place
2. 鲁迅	Lǔ Xùn	name of a Chinese writer
3. 东湖	Dōng Hú	East Lake
4. 越王	Yuèwáng	King of Yue
5. 孔乙己	Kǒng Yǐjǐ	name of a person
6. 咸亨酒店	Xiánhēng Jiǔdiàn	Xianheng Wineshop
7. 绍剧	Shàojù	a kind of local opera that is very popular in Shaoxing area
8. 越剧	Yuèjù	a kind of local opera in Zhejiang Province and is very popular in Shanghai and Zhejiang and Jiangsu provinces

9. 王羲之	Wáng Xīzhī	name of a calligraphist
10. 晋代	Jìndài	Jin Dynasty
11. 兰亭集序	Lántíng Jí Xù	preface to Lanting Collection
12. 王献之	Wáng Xiànzhī	name of a calligraphist

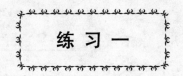

练习一

一、东……西……

甲、复述原句

1. 这两天我们东逛西逛，东看西看。

2. 我是东问西问，你是东讲西讲。

3. 这鹅池里的大白鹅东游西游，真可爱，真好玩。

乙、替换练习

他东 [跑 说 想 忙 借 猜] 西 [跑 说 想 忙 借 猜] 。

丙、熟读例句

1. 星期天我们东逛西逛，逛了一天。

2. 我从美国回来，父母见了我，总是东问西问。

3. 他每天东忙西忙，不知忙什么。

4. 小孩儿不能在路上东跑西跑。

5. 生了病，要好好休息，不要东想西想。

147

丁、选择动词

    1. 我们一起去参观,他总是东_____西_____。

    2. 他自己不做饭,每天东_____西_____。

    3. 他没有钱,只好东_____西_____。

    4. 在商店,我们东_____西_____,买了很多东西。

    5. 我们离婚的事儿,你不要东_____西_____。

    6. 我的书不见了,于是我东_____西_____。

    7. 不要让孩子在墙上东_____西_____。

    8. 看越剧要按号,不可以东_____西_____。

    9. 昨天我很晚回家,妻子见了我就东_____西_____。

    10. 他是爱你的,你不要东_____西_____。

二、有……头
甲、复述原句

    1. 鲁迅故居有看头,东湖有玩头,越王的故事有听头。

    2. 那儿的酒有喝头,点心有吃头。

    3. 这样的游戏真是有玩头。

乙、替换练习

这部电影	有	看	头。
这首民歌		听	
北京烤鸭		吃	
绍兴黄酒		喝	

丙、熟读例句

    1. 白塔的故事有听头。

    2. 杭州的西湖有玩头。

    3. 绍兴的越剧有看头。

    4. "曲水流觞"的游戏有玩头。

5．泰山十八盘很险，真有登头。

丁、完成对话

1．A：什么东西有吃头？
 B：＿＿＿＿＿＿＿＿＿＿＿＿＿＿＿。

2．A：什么饮料有喝头？
 B：＿＿＿＿＿＿＿＿＿＿＿＿＿＿＿。

3．A：什么地方有玩头？
 B：＿＿＿＿＿＿＿＿＿＿＿＿＿＿＿。

4．A：什么电影有看头？
 B：＿＿＿＿＿＿＿＿＿＿＿＿＿＿＿。

5．A：谁讲的故事有听头？
 B：＿＿＿＿＿＿＿＿＿＿＿＿＿＿＿。

6．A：在哪儿游泳有游头？
 B：＿＿＿＿＿＿＿＿＿＿＿＿＿＿＿。

7．A：去哪儿爬山有爬头？
 B：＿＿＿＿＿＿＿＿＿＿＿＿＿＿＿。

8．A：在哪儿踢球有踢头？
 B：＿＿＿＿＿＿＿＿＿＿＿＿＿＿＿。

9．A：什么舞有跳头？
 B：＿＿＿＿＿＿＿＿＿＿＿＿＿＿＿。

10．A：什么歌有唱头？
 B：＿＿＿＿＿＿＿＿＿＿＿＿＿＿＿。

三、好……
甲、复述原句

1．绍兴的酒的确很好喝，点心的确很好吃，风景的确很好看，绍
 剧越剧的确很好听。

2．难道还有好玩的地方吗？

3．风景真好看，空气真新鲜。

4．这鹅池里的大白鹅东游西游，真可爱，真好玩。

149

乙、替换练习

法国的水果	很	好吃	。
英国的红茶		好喝	
美国的电影		好看	
日本的音乐		好听	
中国的熊猫		好玩	

丙、熟读例句

1. 法国的咖啡好喝极了。
2. 上海的点心好吃极了。
3. 玛丽的裙子好看得很。
4. 中国的古典音乐真好听。
5. 西湖和瘦西湖都非常好玩。

丁、完成对话

1. A：什么饮料最好喝？
   B：_____。

2. A：什么茶最好喝？
   B：_____。

3. A：什么肉最好吃？
   B：_____。

4. A：什么水果最好吃？
   B：_____。

5. A：什么国家最好玩？
   B：_____。

6. A：什么动物最好玩？
   B：_____。

7. A：什么颜色最好看？
   B：_____。

8. A：什么电影最好看？
   B：_____。

9. A：什么声音最好听？
   B：＿＿＿＿＿＿＿＿＿＿＿。
10. A：谁唱的歌最好听？
    B：＿＿＿＿＿＿＿＿＿＿＿。

四、……遍

甲、复述原句

1. 我们能走遍绍兴。
2. 我们能玩遍绍兴。
3. 我们能看遍绍兴。
4. 我们能吃遍绍兴。

乙、替换练习

| 他 | 走遍
吃遍
看遍
喝遍
听遍 | 了 | 中国的大城市
这儿的饭店
鲁迅的小说
中国的茶
贝多芬的乐曲 | 。 |

丙、熟读例句

1. 这个城市的博物馆我都参观遍了。
2. 我问遍了我班同学，都说不认识这个字。
3. 他把学校找遍了，还没找到玛丽。
4. 这消息传遍了整个上海。
5. 食堂里的菜都吃遍了。

丁、填写动词

1. 瘦西湖比西湖小，三个小时就＿＿＿＿＿＿＿遍了。
2. 小卖部的饮料不多，我买过五次就＿＿＿＿＿＿＿遍了。
3. 鲁迅的文章太多了，我还没＿＿＿＿＿＿＿遍。
4. 中国的名茶很多，怎么＿＿＿＿＿＿＿得遍呢？

5. 我的钥匙呢? 我_____遍了,还没找到。

6. 这位音乐家的乐曲不多,一天我就_____遍了。

7. 他是旅行家,_____遍了全世界。

8. 伟大的人物死了,这消息_____遍了全世界。

9. 这儿好玩的地方我都_____遍了。

10. 这家饭店的菜我已经_____遍了。

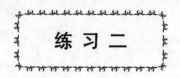

练 习 二

一、回答问题

1. 绍兴在哪儿?

2. 绍兴是谁的故乡?

3. 兰亭为什么有名?

4. "曲水流觞"这四个字是什么意思?

5. "曲水流觞"的游戏怎么做?

6. 除了"曲水流觞"还有什么故事?

7. 在绍兴还有什么好看、好玩的地方?

8. 咸亨酒店为什么很有名?

9. 为什么说"三四天就能走遍绍兴,玩遍绍兴,看遍绍兴,吃遍绍兴了"?

二、读短文

绍兴位于上海的南边,它是鲁迅的故乡。

兰亭就在绍兴,它是一座园林,是晋代大书法家王羲之写《兰亭集序》的地方。公元353年三月初三,王羲之邀请41位朋友在兰亭作诗。那儿有一条弯弯曲曲的小溪。诗人们坐在小溪边,水上放一只小酒杯,因为是曲水,所以酒杯漂流时,有时候会停下来。酒杯停在谁的面前,谁就拿起酒杯喝一小杯酒,作一首诗。一边喝酒,一边作诗,这样的游戏有玩头,这样的酒有喝头。

这是"曲水流觞"的故事,还有"墨池"的故事,"鹅池"的故事,也都很有听头。

在绍兴,东湖的风景更好看,咸亨酒店的酒更好喝,还有绍剧越剧也很好听。

绍兴市不大,如果你东逛西逛,东看西看,三四天就能走遍绍兴,玩遍绍兴,看遍绍兴,吃遍绍兴了。

三、复述短文

四、复述墨池的故事

五、复述鹅池的故事

第七课　鼓浪屿

课　文

（一）

山本：对面就是鼓浪屿。

玛丽：屿就是小岛的意思吧？

山本：是的，它离厦门市区只有700多米，全岛面积1.84平方公里。

玛丽：那么为什么叫鼓浪屿呢？

山本：由于岛的西南边有一块岩石，里边全是空的，当涨潮的时候，海浪拍打岩石，好像是有人在打鼓，于是那岩石就叫鼓浪石，岛就叫鼓浪屿了。

玛丽：说得很有道理。你看，岛中间那座小山的岩石光秃秃的。

山本：那叫日光岩，上边还有寺呢。当太阳刚刚升起的时候，太阳正照到山石和寺门，所以叫日光岩。

玛丽：说得也有道理，快坐船过去看看吧。

山本：别着急，慢慢来。

（二）

山本：玛丽，当你踏上鼓浪屿的时候，你的感觉如何？

玛丽：觉得这儿的空气特别新鲜。岛上全是花草树木，好像是到了植物园。

154

山本：是呀，人们叫鼓浪屿是海上花园和音乐岛。

玛丽：叫它海上花园我明白，可是叫它音乐岛我不明白。

山本：这是由于岛上的人全都喜欢音乐，这儿还出了不少音乐家呢。他们常常举办音乐会，参加演出。你听，那不是钢琴声吗？

玛丽：对，对，弹的正是贝多芬的乐曲，真好听。

山本：这儿只有好听的音乐，没有噪音，你知道这是什么原因吗？

玛丽：对，岛上只有走路的人，没有开车、骑车的人，不但没有汽车，连自行车也没有。

山本：还有这儿只有银行、商店，没有工厂，所以天空全是蓝蓝的。

玛丽：天是蓝的，水是蓝的，地是绿的，这儿真美。

山本：当你登上日光岩的时候，就可以看海浪，看绿地，看厦门市区，到了晚上，还可以看灯的海洋。对了，日光岩北边还有郑成功纪念馆，它建于1962年郑成功收复台湾三百周年纪念日。日光岩正是郑成功练兵的地方。

玛丽：那我们从南边上去，北边下来。

山本：南边山脚有一座花园，相当大，相当美，是厦门最有名的花园。里边真有看头，有玩头呢。

玛丽：好的，那就先去那儿玩吧。

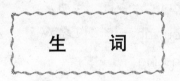

生　词

1. 鼓	gǔ	（名）	drum
2. 屿	yǔ	（名）	small island; islet
3. 市区	shìqū	（名）	down town; city proper
4. 全	quán	（形、副）	whole
5. 平方	píngfāng	（名）	square
6. 西南	xīnán	（名）	southwest
7. 岩石	yánshí	（名）	rock

8. 空	kōng	(形)	hollow
9. 当…时候	dāng…shíhou		when; while
10. 涨	zhǎng	(动)	to rise
11. 拍打	pāidǎ	(动)	to beat; to slap
12. 光秃秃	guāngtūtū	(形)	bare; bald
13. 踏	tà	(动)	to step on
14. 感觉	gǎnjué	(名、动)	to feel
15. 如何	rúhé	(代)	how
16. 草	cǎo	(名)	grass
17. 花园	huāyuán	(名)	garden
18. 举办	jǔbàn	(动)	to hold
19. 演出	yǎnchū	(动、名)	to perform; performance
20. 弹	tán	(动)	to play
21. 只有	zhǐyǒu	(副、连)	only
22. 噪音	zàoyīn	(名)	noise
23. 工厂	gōngchǎng	(名)	factory
24. 天空	tiānkōng	(名)	sky
25. 灯	dēng	(名)	lamp; light
26. 海洋	hǎiyáng	(名)	seas and oceans
27. 收复	shōufù	(动)	to recover
28. 周年	zhōunián	(名)	anniversary
29. 练兵	liàn bīng		troop training

专　名

1. 鼓浪屿	Gǔlàngyǔ	Gulang Islet
2. 厦门	Xiàmén	name of a city
3. 日光岩	Rìguāng Yán	Sun Light Rock
4. 郑成功纪念馆	Zhèng Chénggōng Jìniànguǎn	Zheng Chenggong Memorial Hall

练习一

一、全

甲、复述原句

1. 全岛面积 1.84 平方公里。

2. 岛的西南边有一块岩石,里边全是空的。

3. 岛上全是花草树木,好像是到了植物园。

4. 这是由于岛上的人全都喜欢音乐。

5. 天空全是蓝蓝的。

乙、替换练习

墨池的水	全	是黑的	。
那儿		是工厂	
学生		都来了	
课文		看过了	

丙、熟读例句

1. 山上全是岩石。

2. 山上的岩石全是光秃秃的。

3. 隔壁太太说的话我全听见了。

4. 你的话我全都同意。

5. 这件事全靠你了。

丁、改换说法

1. 普陀山的鱼都是新鲜的。

2. 书上的生词我都记住了。

3. 南京路上到处是人。

4. 我们家每个人都爱看越剧。

5. 公园里的树棵棵都很高。

6. 你说的话完全对。

7. 我完全不会做家务。

8. 整个中国有十二亿人。

9. 鼓浪屿整个岛没有一点儿噪音。

二、当……时候

甲、复述原句

1. 当涨潮的时候,海浪拍打岩石。

2. 当太阳刚刚升起的时候,太阳正照到山石和寺门。

3. 当你踏上鼓浪屿的时候,你的感觉如何?

4. 当你登上日光岩的时候,就可看海浪,看绿地,看厦门市区。

乙、替换练习

当	我出国	的时候,	妈妈哭了	。
	他抽烟		我就离开房间	
	春天来到		我们就出去旅行	
	太阳升起		山本还在睡觉	
	举办音乐会		他都要去参加演出	

丙、熟读例句

1. 当我听到钢琴声的时候,我就停下了脚步。

2. 当我看见月亮的时候,我就想起了故乡。

3. 当王羲之接到皇帝命令的时候,他立刻停笔走了。

4. 当船过普陀山的时候,大风大浪出现了。

5. 当他反对我的时候,我生气了。

丁、完成句子

1. 当我生病的时候,_____。

2. 当父母离婚的时候,_____。

3. 当我踏进花园的时候,_____。

4. 当我看见灯的海洋的时候,_____。

5. 当夏天来到的时候,_____。

6．当 _____ 时候，我就上山去滑雪。

7．当 _____ 时候，我就给父母打电话。

8．当 _____ 时候，我们就把他送到医院。

9．当 _____ 时候，他就来帮助我。

10．当 _____ 时候，她给我送蛋糕。

三、正

甲、复述原句

1．太阳正照到山石和寺门。

2．弹的正是贝多芬的乐曲，真好听。

3．日光岩正是郑成功练兵的地方。

乙、替换练习

我要买的	正是	这本书	。
我说的		那个人	
关心别人		我们要做的	
你做的菜		我最喜欢吃的	

丙、熟读例句

1．现在正是种树的季节。

2．他去的正是那家饭店。

3．情况正像你说的那样。

4．我正要找他，他来了。

5．我正想给你打电话呢。

丁、完成句子

1．我想喝的正是 _____ 。

2．他住的正是 _____ 。

3．你唱的歌正是 _____ 。

4．来的那位正是 _____ 。

5．正像你说的 _____ 。

6. 这个问题正是＿＿＿＿＿＿＿＿＿＿。

7. 好球,足球正射到＿＿＿＿＿＿＿＿＿＿。

8. 楼上掉下一件衣服,正掉到＿＿＿＿＿＿＿＿＿。

9. 一到剧场,正赶上＿＿＿＿＿＿＿＿＿。

10. 我正想＿＿＿＿＿＿＿＿＿。

四、只有……没有……

甲、复述原句

1. 这儿只有好听的音乐,没有噪音。

2. 岛上只有走路的人,没有开车、骑车的人。

3. 这儿只有银行、商店,没有工厂。

乙、替换练习

浴室 银行 桌上 他 我	只有	冷水 美元 笔 书 爸爸	没有	热水 日元 墨 本子 妈妈	。

丙、熟读例句

1. 我只有哥哥,没有弟弟。

2. 这儿只有船,没有桥。

3. 这城市只有汽车,没有火车。

4. 山上只有岩石,没有树木。

5. 花园里只有红花、白花,没有黄花。

丁、完成句子

1. 我只有奶奶,没有＿＿＿＿＿＿＿＿。

2. 我只有红茶,没有＿＿＿＿＿＿＿＿。

3. 客厅里只有电视机,没有＿＿＿＿＿＿＿＿。

4. 这城市只有京剧,没有＿＿＿＿＿＿＿＿。

5. 我只有汉英词典，没有＿＿＿＿＿＿＿＿＿。

6. 我家只有猫，没有＿＿＿＿＿＿＿＿＿。

7. 唱歌的只有女人，没有＿＿＿＿＿＿＿＿＿。

8. 弟弟只有乒乓球，没有＿＿＿＿＿＿＿＿＿。

9. 我只有小提琴，没有＿＿＿＿＿＿＿＿＿。

10. 那儿只有春季、秋季，没有＿＿＿＿＿＿＿＿＿。

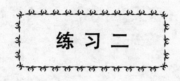

练 习 二

一、回答问题

1. 屿是什么意思？

2. 鼓浪屿有多大？

3. 鼓浪屿离厦门市区远吗？

4. 为什么叫鼓浪屿？

5. 日光岩是什么意思？

6. 日光岩的北边和南边有什么？

7. 郑成功有什么功劳？

8. 为什么鼓浪屿的空气特别新鲜？

9. 为什么岛上没有噪音？

10. 为什么说"鼓浪屿是音乐岛"？

二、读短文

鼓浪屿是一个小岛，全岛面积 1.84 平方公里，它离厦门市区只有 700 多米。由于岛的西南边有一块岩石，里边全是空的，当涨潮的时候，海浪拍打岩石，好像是有人在打鼓，于是那岩石就叫鼓浪石，岛就叫鼓浪屿了。

岛的中间有座小山，岩石光秃秃的，上边有寺。当太阳刚刚升起的时候，太阳光正照到山石和寺门，所以叫日光岩。日光岩的北边有郑成功纪念馆，南边山脚下有花园。

当你踏上鼓浪屿的时候，你会觉得这儿的空气特别新鲜，风景特别美丽，这是由于岛上全是花草树木，好像是到了植物园。

　　岛上只有走路的人，没有开车、骑车的人；只有银行、商店，没有工厂。你不但听不到噪音，还可以听到好听的音乐。这儿出了不少音乐家，他们常常举办音乐会，参加演出。

　　正是这样，所以人们叫鼓浪屿是海上花园和音乐岛。

三、复述短文

第八课 石 林

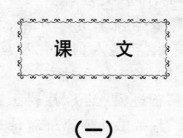

课　文

（一）

玛丽：昆明的气候，果真不错。

山本：就是嘛，昆明四季如春，人们就把它叫作"春城"。看样子，你挺喜欢这儿。

玛丽：就是嘛，否则我就不来了。

山本：那么你知道阿诗玛的故事吗？

玛丽：看样子，你又想考考我了。

山本：不，不。这是一个美丽的传说，你想听的话，我就说，否则我就不说了。

玛丽：说吧，说吧，我真的不知道。

山本：果真不知道，那我就说吧。阿诗玛是撒尼族姑娘，既聪明又美丽。她不肯嫁给恶霸的儿子，恶霸就派人把她抢走了。阿诗玛还是不屈服，就被推入牢房。她的哥哥阿黑知道了，就去救了阿诗玛。当兄妹俩欢欢喜喜回家的时候，哪知道恶霸在魔鬼的帮助下，放出洪水，把阿诗玛冲走了，于是阿诗玛就变成了石峰。

（二）

山本：这儿离昆明有 120 公里，叫路南。你看前面的石峰、石柱，它们

　　　　排列在一起,像什么?

玛丽:像森林,看样子,这就是石林了。

山本:就是嘛,这就是有名的路南石林。

玛丽:面积大得很哪!

山本:那还用说,面积有2.7万公顷,否则怎么可以叫"林"呢?

玛丽:如果坐飞机往下看,那就更好看了。

山本:那当然。你看,那石峰顶上有一座亭,站在那儿看,就能看到峰外有峰,林外有林,于是人们就把那座亭叫作"望峰亭"。

玛丽:我们一起上去看看,你不会反对吧?

山本:别着急,我们先在下边看,然后再到上边看。下边可看钟石、一线天、剑峰池。去那儿再给你讲阿诗玛的故事。

玛丽:你说阿诗玛后来变成了石峰,那石峰在哪儿?

山本:阿诗玛的石峰在小石林区内,那儿的象形石更好看,有夫妻相望、妹盼郎归、护林将军什么的。

玛丽:难道真的都很像?

山本:看样子,你有点儿不相信。不过,看了以后你一定会说:"果真像极了!"

玛丽:但愿如此。

生　　词

1. 果真	guǒzhēn	(副)	if indeed; if really
2. 就是嘛	jiùshì ma		quite right; exactly
3. 四季如春	sìjì rú chūn		It's like spring all the year round
4. 看样子	kàn yàngzi		it seems; it appears
5. 否则	fǒuzé	(连)	otherwise; if not
6. 嫁	jià	(动)	to marry
7. 恶霸	èbà	(名)	Local tyrant
8. 派	pài	(动)	to send

9. 抢	qiǎng	（动）	to snatch; to grab
10. 屈服	qūfú	（动）	to surrender
11. 推	tuī	（动）	to push
12. 牢房	láofáng	（名）	cell; ward(of a prison)
13. 兄	xiōng	（名）	brother
14. 魔鬼	móguǐ	（名）	devil; demon
15. 洪水	hóngshuǐ	（名）	flood
16. 冲	chōng	（动）	to wash away; to flush
17. 柱	zhù	（名）	column; post
18. 排列	páiliè	（动）	line up a row
19. 森林	sēnlín	（名）	forest
20. 公顷	gōngqǐng	（量）	hectare
21. 线	xiàn	（名）	thread; string
22. 剑	jiàn	（名）	sword
23. 形	xíng	（名）	shape
24. 妹盼郎归	mèi pàn láng guī		mistress longs for her beloved to reture
25. 护林将军	hù lín jiāngjūn		forest-protecting general
26. 但愿如此	dànyuàn rúcǐ		I wish it were true

专　名

1. 石林	Shílín	Stone Forest
2. 阿诗玛	Āshīmǎ	a person's name
3. 撒尼族	Sānízú	Sani nationality
4. 阿黑	Ā Hēi	a person's name
5. 路南	Lùnán	name of a place
6. 望峰亭	Wàngfēng Tíng	Peak-Watching Pavilion
7. 钟石	Zhōngshí	stalactite
8. 一线天	Yíxiàntiān	a ray of light from the sky
9. 剑峰池	Jiànfēng Chí	name of a peak

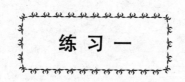
一、果真

甲、复述原句

    1. 昆明的气候,果真不错。

    2. 果真不知道,那我就说吧。

    3. 你一定会说:"果真像极了。"

乙、替换练习

	果真	
石林石林,		石峰成林 。
恶霸家里		有牢房
这部电影		不错
经过努力,		成绩提高了
上海夏天		热极了

丙、熟读例句

    1. 恶霸果真派人把阿诗玛抢走了。

    2. 到了恶霸家,阿诗玛果真不屈服。

    3. 魔鬼果真放出洪水,把阿诗玛冲走了。

    4. 阿诗玛果真变成了石峰。

    5. 左边那石峰果真像护林将军。

丁、完成句子

    1. 墨池墨池,果真 _____ 。

    2. 五亭桥上,果真_____ 。

    3. 潮音洞的潮水,声音果真_____ 。

    4. 她求了观音以后,果真_____ 。

    5. 千步沙海滩果真_____ 。

    6. 据说泰山有6000多个台阶,果真_____ 。

7. 都说绍兴的黄酒好喝,果真＿＿＿＿＿＿＿＿。

8. 都说昆明气候好,果真＿＿＿＿＿＿＿＿。

9. 听说寒山寺里有大钟,果真＿＿＿＿＿＿＿＿。

10. 听说孔林是一座古老园林,进去参观,果真＿＿＿＿
＿＿＿＿。

二、就是嘛
甲、复述原句
1. 就是嘛,昆明四季如春。

2. 就是嘛,否则我就不来了。

3. 就是嘛,这就是有名的路南石林。

乙、替换练习

就是嘛,

多说多写就会了
哥哥总是要帮弟弟的
女儿大了总是要嫁人的
森林里有不少动物
穿这件衣服好看极了

。

丙、熟读例句
1. A：吃了药,病果真好了。

　 B：就是嘛,一定要听医生的话。

2. A：北京的古迹真多。

　 B：就是嘛,一个星期也看不完。

3. A：你真的来了。

　 B：就是嘛,我说来一定来。

4. A：两瓶酒喝不完了。

　 B：就是嘛,我说一瓶就够了。

5. A：孔子是伟大的思想家、政治家、教育家。

　 B：就是嘛,他创立了儒家学派。

丁、完成对话
1. A：西安古迹真不少。

　　　　B：就是嘛，_____。
　2．A：这儿风景真好。
　　　　B：就是嘛，_____。
　3．A：孔庙真大。
　　　　B：就是嘛，_____。
　4．A：十八盘真险。
　　　　B：就是嘛，_____。
　5．A：登泰山好像是登天。
　　　　B：就是嘛，_____。
　6．A：孔子离开我们已经有两千多年了。
　　　　B：就是嘛，_____。
　7．A：寒山寺，有两口大钟。
　　　　B：就是嘛，_____。
　8．A：马可·波罗来过扬州到过瘦西湖。
　　　　B：就是嘛，_____。
　9．A：观世音是位慈悲的菩萨。
　　　　B：就是嘛，_____。
　10．A：鼓浪屿是海上花园。
　　　　B：就是嘛，_____。

三、看样子
甲、复述原句

　1．看样子，你挺喜欢这儿。
　2．看样子，你又想考考我了。
　3．看样子，这就是石林了。
　4．看样子，你有点儿不相信。

乙、替换练习

　　看样子，| 你已经结婚了 |。
　　　　　　你还没听懂
　　　　　　你喜欢黑色
　　　　　　你想休息了
　　　　　　你有点儿醉了

168

丙、熟读例句

1．看样子，你不是日本人。

2．看样子，你很喜欢她。

3．看样子，你是运动员。

4．看样子，你已经饿了。

5．看样子，你很累了。

丁、完成对话

1．A：再要一杯咖啡吧。

B：看样子，＿＿＿＿＿＿＿＿＿。

2．A：妈妈好久没来信了。

B：看样子，＿＿＿＿＿＿＿＿＿。

3．A：他天天给我打电话。

B：看样子，＿＿＿＿＿＿＿＿＿。

4．A：天天下雨，真讨厌。

B：看样子，＿＿＿＿＿＿＿＿＿。

5．A：今晚有足球比赛吗？

B：看样子，＿＿＿＿＿＿＿＿＿。

6．A：书上的生词我全记得。

B：看样子，＿＿＿＿＿＿＿＿＿。

7．A：她今天特别高兴。

B：看样子，＿＿＿＿＿＿＿＿＿。

8．A：今天我要多买几盘菜。

B：看样子，＿＿＿＿＿＿＿＿＿。

9．A：你看他的牙是黄色的。

B：看样子，＿＿＿＿＿＿＿＿＿。

10．A：这么晚了，他还不来。

B：看样子，＿＿＿＿＿＿＿＿＿。

四、否则

甲、复述原句

1．就是嘛，否则我就不来了。

169

2. 你想听的话,我就说,否则我就不说了。

3. 那还用说,面积有 2.7 万公顷,否则怎么可以叫"林"呢?

乙、替换练习

快上车	,否则	车要开走了	。
把药吃了吧		病不会好	
你快给她打电话		她要生气了	
借了钱要还		他下次不借了	
快去买电影票		买不到了	

丙、熟读例句

1. 汤里加点盐,否则太淡了。

2. 快起床,否则上课要迟到了。

3. 吃点儿吧,否则肚子要饿的。

4. 多穿点儿衣服,否则出去要受凉。

5. 要休息一会儿,否则人太累了。

丁、完成句子

1. 快坐出租汽车去,否则_____。

2. 给妈妈写一封信吧,否则_____。

3. 不要吃不干净的东西,否则_____。

4. 我看书要戴眼镜,否则_____。

5. 踢完球要洗澡,否则_____。

6. 学习时要带词典,否则_____。

7. 你一定要陪我去,否则_____。

8. 看见熟人要打招呼,否则_____。

9. 这裤子要洗洗,否则_____。

10. 动物园里有熊猫我才去,否则_____。

170

一、回答问题

1. 为什么人们把昆明叫作"春城"？
2. 路南离昆明有多远？
3. 路南石林为什么很有名？
4. 为什么说"望峰亭是看石林的好地方"？
5. 望峰亭下边有什么值得看的风景？
6. 为什么"象形石更好看"？
7. 阿诗玛的石峰在哪儿？
8. 阿诗玛的故事是怎样的？

二、读短文

　　昆明四季都像春天，人们把昆明叫作"春城"。离昆明20公里有一个叫路南的地方，那儿的石峰、石柱排列在一起就像森林一样，面积有2.7万公顷，于是就成了有名的路南石林风景区。

　　你看那石峰顶上有一座"望峰亭"。登上望峰亭，就能看到峰外有峰，林外有林，果真是看石林的好地方，否则就不叫"望峰亭"了。

　　看样子，你想先在下边逛逛，这也很好。像钟石、一线天、剑峰池都很好看。小石林区内的象形石就更好看了，例如夫妻相望、妹盼郎归、护林将军什么的，你看了以后，一定会说"果真像极了"。阿诗玛的石峰也在那儿。阿诗玛的故事是一个美丽的传说，很有听头。看样子你已经听说过了，否则你会马上叫我给你讲讲了。你说是不是？

三、复述短文

下 编 词 汇 表

A

| 庵院 | ānyuàn | （名） | nunnery | 5 |
| 岸 | àn | （名） | bank | 5 |

B

百看不厌	bǎi kàn bú yàn		be worth seeing a hundred times	3
碑刻	bēikè	（名）	stone tablet	2
背	bèi	（动）	to recite	3
遍	biàn	（形）	all over; everywhere	6
变成	biàn chéng		to turn into	6
步	bù	（名、量）	step; *a measure word*	2

C

藏	cáng	（动）	to keep; to hide	3
草	cǎo	（名）	grass	7
曾经	céngjīng	（副）	once	3
长廊	chángláng	（名）	a covered corridor or walk	2
潮	cháo	（名）	tide	5
成	chéng	（动）	to become; to turn into	2
城市	chéngshì	（名）	city	1
成为	chéngwéi	（动）	to become; to turn into	5
池	chí	（名）	pond	6
冲	chōng	（动）	to wash away; to flush	8
初三	chūsān	（名）	the third day of a month	6
出现	chūxiàn	（动）	to happen; to appear	5

| 创立 | chuànglì | （动） | to establish | 1 |
| 慈悲 | cíbēi | （形） | benevolent | 5 |

D

但愿如此	dànyuàn rúcǐ		I wish it were true	8
当…时候	dāng …shíhou		when；while	7
当时	dāngshí	（名）	then；at that time	5
到处	dàochù	（名）	at all places；everywhere	4
得罪	dézuì	（动）	to offend	5
登	dēng	（动）	to climb	2
灯	dēng	（名）	lamp；light	7
的确	díquè	（副）	indeed；really	5
地方官	dìfāngguān	（名）	local official	4
帝王	dìwáng	（名）	emperor；monarch	2
殿	diàn	（名）	hall	1
钓	diào	（动）	to fish	4
东部	dōngbù	（名）	the eastern part	2
东方	dōngfāng	（名）	east	2
东…西…	dōng…xī…		here and there	6
洞门	dòngmén	（名）	moon gate	4
堆	duī	（动）	to pile up	4
对愁眠	duì chóu mián		feel so gloomy that … can not fall asleep	3

E

| 鹅 | é | （名） | goose | 6 |
| 恶霸 | èbà | （名） | local tyrant | 8 |

F

发生	fāshēng	（动）	to happen	5
反对	fǎnduì	（动）	to oppose	6
否则	fǒuzé	（连）	otherwise；if not	8
富	fù	（形）	rich；prosperous	5

G

感觉	gǎnjué	(名、动)	to feel	7
刚才	gāngcái	(副)	just now	5
改	gǎi	(动)	to change into	3
阁	gé	(名)	pavilion	1
隔壁	gébì	(名)	next door; next door neighbor	1
工厂	gōngchǎng	(名)	factory	7
供奉	gòngfèng	(动)	to worship	5
功劳	gōngláo	(名)	contribution	5
公顷	gōngqǐng	(量)	hectare	8
公元	gōngyuán	(名)	the Christian era	1
鼓	gǔ	(名)	drum	7
古老	gǔlǎo	(形)	ancient; age-old	1
古人	gǔrén	(名)	the anciens; our fore fathers	2
故居	gùjū	(名)	former residence	6
故乡	gùxiāng	(名)	hometown	1
果真	guǒzhēn	(副)	if indeed; if really	8

H

海滩	hǎitān	(名)	seabeach	5
海洋	hǎiyáng	(名)	seas and oceans	7
好像是	hǎoxiàng shì		to seem; it seems that	2
合	hé	(动)	to put together	6
洪水	hóngshuǐ	(名)	flood	8
后代	hòudài	(名)	later generations	1
忽然	hūrán	(副)	suddenly	6
湖面	húmiàn	(名)	the surface of the lake	4
护林将军	hù lín jiāngjūn		forest-protecting general	8
花园	huāyuán	(名)	garden	7
环境	huánjìng	(名)	environment	3
皇帝	huángdì	(名)	emperor	4

J

| 集散地 | jísàndì | (名) | collecting and distributing center | 4 |

既然	jìrán	（连）	since; as; now that	4
祭祀	jìsì	（动）	to offer sacrifices to god or ancestors	1
加（上）	jiā(shàng)	（动）	to add; plus	1
假	jiǎ	（形）	artificial	4
嫁	jià	（动）	to marry	8
剑	jiàn	（名）	sword	8
建	jiàn	（动）	to build	5
建筑群	jiànzhùqún	（名）	architectural complex	1
江枫	jiāng fēng		maple on river banks	3
郊	jiāo	（名）	suburbs; outskirts	4
教育家	jiàoyùjiā	（名）	educator	1
借景	jiè jǐng		taking advantage of the land-scape	4
经	jīng	（名）	scripture	3
究竟	jiūjìng	（副）	after all; exactly	1
就是嘛	jiùshì ma		quite right; exactly	8
举办	jǔbàn	（动）	to hold	7
据说	jùshuō	（名）	it is said	2

K

开玩笑	kāi wánxiào		to joke; to make fun of	5
看样子	kàn yàngzi		it seems; it appears	8
棵	kē	（量）	*a measure word*	1
可见	kějiàn	（连）	it is thus clear that	5
刻	kè	（动）	to carve; to cut	2
空	kōng	（形）	hollow	7
空气	kōngqì	（名）	air	6
空中	kōngzhōng	（名）	in the sky	2
快活	kuàihuo	（形）	cheerful; joyful	2

L

缆车	lǎnchē	（名）	cable car	2
牢房	láofáng	（名）	cell; ward(of a prison)	8
历代	lìdài	（名）	successive dynasties; past dynasties	1

立刻	lìkè	（副）	immediately	3
连（夜）	lián (yè)	（副）	the same night	4
练兵	liàn bīng		troop training	7
流动	liúdòng	（动）	to flow	6
流觞	liú shāng		a floating wine cup	6

M

美女	měinǚ	（名）	beautiful woman; beauty	4
妹盼郎归	mèi pàn láng guī		mistress longs for her beloved to return	8
蒙蒙	méngméng	（形）	drizzly; misty	4
面积	miànjī	（名）	area	1
面前	miànqián	（名）	in front of	6
命令	mìnglìng	（名、动）	order; command	6
魔鬼	móguǐ	（名）	devil; demon	8
墨	mò	（名）	ink	6
亩	mǔ	（量）	*mu* (a Chinese unit of area)	1

N

哪知道	nǎ zhīdao		who knows	5
难道	nándào	（副）	(used in a rhetorical question for emphasis)	3
内	nèi	（名）	inner; inside	1
内心	nèixīn	（名）	heart; one's inner world	5

P

拍打	pāidǎ	（动）	to beat; to slap	7
排列	páiliè	（动）	line up in a row	8
派	pài	（动）	to send	8
平方	píngfāng	（名）	square	7
坡度	pōdù	（名）	slope	2
菩萨	púsà	（名）	Buddha	5

Q

| 抢 | qiǎng | （动） | to snatch; to grab | 8 |

巧	qiǎo	（形）	coincidental; as luck would have it	4
屈服	qūfú	（动）	to surrender	8
曲水	qū shuǐ		a zigzag brook	6
全	quán	（形、副）	whole	7

R

热情	rèqíng	（形）	warm	3
人们	rénmen	（名）	people; the public	4
人物	rénwù	（名）	figure	1
如何	rúhé	（代）	how	7
儒家	rújiā	（名）	confucianism	1

S

森林	sēnlín	（名）	forest	8
僧人	sēngrén	（名）	monk	3
沙	shā	（名）	sand	5
圣像	shèngxiàng	（名）	statue of a sage	5
诗文	shīwén	（名）	poem	3
石壁	shíbì	（名）	stone wall	2
石刻	shíkè	（名）	stone carving	2
石桥	shíqiáo	（名）	stone bridge	3
市里	shìlǐ	（量）	*a measure word*	1
市区	shìqū	（名）	downtown; city proper	7
收复	shōufù	（动）	to recover	7
首	shǒu	（量）	*a measure word*	3
手法	shǒufǎ	（名）	technique	4
树木	shùmù	（名）	trees	3
霜满天	shuāng mǎn tiān		there is frost all over	3
思想家	sīxiǎngjiā	（名）	thinker	1
四季如春	sìjì rú chūn		it's like spring all the year round	8
随口	suíkǒu	（副）	speak thoughtlessly or casually	4

T

塔	tǎ	（名）	pagoda; tower	4
踏	tà	（动）	to step on	7
坛	tán	（名）	altar	1
弹	tán	（动）	to play	7
特点	tèdiǎn	（名）	characteristic	2
天空	tiānkōng	（名）	sky	7
天然	tiānrán	（形）	natural	2
亭	tíng	（名）	pavillion	4
通过	tōngguò	（动、介）	to pass through	2
同意	tóngyì	（动）	to agree	6
推	tuī	（动）	to push	8

W

外表	wàibiǎo	（名）	appearance	5
完全	wánquán	（形）	absolute	3
万物	wànwù	（名）	all things on earth	2
位于	wèiyú	（动）	to be located	1
文人	wénrén	（名）	scholar; man of letters	2
乌啼	wū tí		crow crows	3
雾气	wùqì	（名）	fog; mist	4

X

溪	xī	（名）	brook	6
西南	xīnán	（名）	south-west	7
下次	xiàcì	（名）	next time	4
险	xiǎn	（形）	difficulf of access; dangerous	2
线	xiàn	（名）	thread; string	8
相当	xiāngdāng	（副）	rather; quite	5
形	xíng	（名）	shape	8
兄	xiōng	（名）	brother	8
学派	xuépài	（名）	school of thought; school	1

Y

盐包	yánbāo	（名）	a sack of salt	4
演出	yǎnchū	（动、名）	to perform; performance	7
岩石	yánshí	（名）	rock	7
邀请	yāoqǐng	（动、名）	to invite; invitation	6
一块儿	yíkuàir	（副）	together	3
以来	yǐlái	（助）	since	1
隐约	yǐnyuē	（形）	indistinct	4
永远	yǒngyuǎn	（副）	always	3
游戏	yóuxì	（名）	game	6
由于	yóuyú	（介、连）	because; owing to	4
有时候	yǒu shíhou		sometimes	6
（生）于	（shēng）yú	（介）	in	1
渔火	yú huǒ		the light from the fishing boat	3
渔民	yúmín	（名）	fisherman	5
于是	yúshì	（连）	as a result; so	4
屿	yǔ	（名）	small island; islet	7
圆	yuán	（形）	round; circular	4
远处	yuǎnchù	（名）	distant place	2
月落	yuè luò		moon set	3

Z

葬	zàng	（动）	to bury	1
噪音	zàoyīn	（名）	noise	7
沾	zhān	（动）	to touch; to stick	5
涨	zhǎng	（动）	to rise	7
真正	zhēnzhèng	（形）	real; true	2
整个	zhěnggè	（形）	whole; entire	2
正好	zhènghǎo	（形）	just; just right	2
政治家	zhèngzhìjiā	（名）	statesman	1
知识	zhīshi	（名）	knowledge	1
只有	zhǐyǒu	（副、连）	only	7
周年	zhōunián	（名）	anniversary	7
周围	zhōuwéi	（名）	around; round	3

柱	zhù	（名）	column; post	8
庄严	zhuāngyán	（形）	solemn; dignified	5
仔细	zǐxì	（形）	careful; attentive	3
作为	zuòwéi	（动）	to regard . . . as	2

专　名

A

| 阿黑 | Ā Hēi | a person's name | 8 |
| 阿诗玛 | Āshīmǎ | a person's name | 8 |

B

白塔	Báitǎ	white pagoda	4
不肯去观音	Bùkěnqù Guānyīn	Guanyin who is not willing to leave	5
云步桥	Yúnbù Qiáo	the Bridge above the Clouds	2

C

| 潮音洞 | Cháoyīn Dòng | name of a cave | 5 |

D

| 钓鱼台 | Diàoyútái | fishing platform | 4 |
| 东湖 | Dōng Hú | East Lake | 6 |

F

法雨寺	Fǎyǔ Sì	Fayu Temple	5
枫桥	Fēng Qiáo	Feng bridge	3
枫桥夜泊	Fēng Qiáo Yè Bó	anchored the boat near the Feng Bridge	3

G

姑苏	Gūsū	Suzhou	3
鼓浪屿	Gǔlàngyǔ	Gulang Islet	7
观音	Guānyīn	goddess of mercy	5

180

H

寒山寺	Hánshān Sì	Hanshan Temple	3
慧锷	Huì'è	a person's name	5
慧济寺	Huìjì Sì	Huiji Temple	5

J

剑峰池	Jiànfēng Chí	name of a peak	8
江桥	Jiāng Qiáo	Jiang Bridge	3
晋代	Jìndài	Jin Dynasty	6

K

孔府	Kǒngfǔ	Confucian Mansion	1
孔林	Kǒnglín	Confucian Cemetery	1
孔庙	Kǒngmiào	Confucian Temple	1
孔乙己	Kǒng Yǐjǐ	name of a person	6
孔子	Kǒngzǐ	Confucius	1

L

兰亭	Lántíng	name of a place	6
兰亭集序	Lántíng Jí Xù	preface to Lanting Collection	6
鲁迅	Lǔ Xùn	name of Chinese writer	6
路南	Lùnán	name of a place	8

M

| 马可·波罗 | Mǎkě Bōluó | an Italian traveller | 4 |

P

| 普济寺 | Pǔjì Sì | Puji Temple | 5 |
| 普陀山 | Pǔtuó Shān | Putuo Mountain | 5 |

Q

千步沙	Qiānbùshā	A Thousand-Step-Beach	5
乾隆	Qiánlóng	Emperor Qianlong	4
清朝	Qīngcháo	Qing Dynasty	1

| 曲阜 | Qūfù | name of a place | 1 |

R

| 日光岩 | Rìguāng Yán | Sunlight Rock | 7 |

S

撒尼族	Sānízú	Sani nationality	8
绍剧	Shàojù	a kind of local opera that is very popular in Shaoxing area	6
三孔	Sān Kǒng	Confucian Mansion, Confucian Cemetery and Confucian Temple	1
十八盘	Shíbāpán	18-Zigzag Way	2
石林	Shílín	Stone Forest	8
瘦西湖	Shòuxīhú	Slim West Lake	4

T

| 泰山 | Tài Shān | Mount Taishan | 2 |

W

王羲之	Wáng Xīzhī	name of a calligraphist	6
王献之	Wáng Xiànzhī	name of a calligraphist	6
望峰亭	Wàngfēng Tíng	Peak-Watching Pavilion	8
五台山	Wǔtái Shān	Wutai Mountain	5
五亭桥	Wǔtíng Qiáo	Five-Pavilion Bridge	4

X

西施	Xīshī	name of a beauty	4
厦门	Xiàmén	name of a city	7
夏威夷	Xiàwēiyí	Hawaii	5
咸亨酒店	Xiánhēng Jiǔdiàn	Xianheng Wineshop	6

Y

扬州	Yángzhōu	name of a city	4
一线天	Yíxiàntiān	a ray of light from the sky	8
越剧	Yuèjù	a kind of local opera in Zhejinag Province that is very popular in Shanghai, Zhejiang and Jiangsu provinces	6
越王	Yuèwáng	King of Yue	6
运河	Yùnhé	the Grand Canal	4

Z

郑成功纪念馆	Zhèng Chénggōng Jìniànguǎn	Zheng Chenggong Memorial Hall	7
钟石	Zhōngshí	stalactite	8
中天门	Zhōngtiānmén	middle heaven Gateway	2